O PASSEADOR
DE LIVROS

Carsten Henn

O PASSEADOR DE LIVROS

Carsten Henn

Tradução de Kristina Michahelles

Copyright © 2020 Piper Verlag GmbH, München/Berlin.

TÍTULO ORIGINAL
Der Buchspazierer

PREPARAÇÃO
Bruna Gomes Ribeiro

REVISÃO
João Sette Camara
Eduardo Carneiro

DIAGRAMAÇÃO
Tanara Vieira

DESIGN DE CAPA
© Patrizia Di Stefano sobre várias imagens da Getty Images

ADAPTAÇÃO DE CAPA
Laísa Andrade

CIP-BRASIL. CATALOGAÇÃO NA PUBLICAÇÃO
SINDICATO NACIONAL DOS EDITORES DE LIVROS, RJ

H442p

    Henn, Carsten, 1973-
       O passeador de livros / Carsten Henn ; tradução Kristina Michahelles. - 1. ed. - Rio de Janeiro : Intrínseca, 2022.
       224 p. ; 21 cm.

    Tradução de: Der buchspazierer
    ISBN 978-65-5560-404-7

    1. Ficção alemã. I. Michahelles, Kristina. II. Título.

22-78491   CDD: 833
                                CDU: 82-3(430)

Meri Gleice Rodrigues de Souza - Bibliotecária - CRB-7/6439

1ª edição
NOVEMBRO DE 2022
impressão
BARTIRA GRÁFICA
papel de miolo
PÓLEN NATURAL 80G/M²
papel de capa
CARTÃO SUPREMO ALTA ALVURA 250G/M²
tipografia
REGISTER®

[2022]
Todos os direitos desta edição reservados à
Editora Intrínseca Ltda.
Rua Marquês de São Vicente, 99, 6º andar
22451-041 – Gávea – Rio de Janeiro – RJ
Tel./Fax: (21) 3206-7400
www.intrinseca.com.br

Para todos os livreiros e livreiras,
que mesmo em tempos de crise nos
fornecem um alimento muito especial.

*"Um romance é como o arco
de um violino, e sua caixa de ressonância
é a alma do leitor."*
(Stendhal)

Capítulo 1

Gente independente

Dizem que os livros encontram seus leitores, mas às vezes é preciso que alguém lhes indique o caminho. Foi o que aconteceu naquele dia de fim de verão na livraria Ao Portão da Cidade, embora o portão da cidade — ou melhor, os restos dele, que a maioria dos moradores julgava ser uma gigantesca obra de arte — ficasse a uns bons três quarteirões de distância.

A livraria era bastante antiga, um prédio que fora construído e ampliado ao longo de várias épocas. Havia murais com adereços e estuques de gesso, mas também ângulos retos sem qualquer ornamentação. Vestígios lúdicos, de épocas mais antigas, conviviam com uma decoração mais sóbria e moderna, tanto na fachada quanto no interior. Mostradores vermelhos de plástico com DVDs e CDs ficavam junto a estantes de metal com mangás que, por sua vez, ficavam lado a lado com mostruários de vidro lapidado com globos terrestres ou prateleiras elegantes de madeira com livros. Entre os objetos à venda havia ainda jogos, artigos de papelaria, chás e até chocolates. O salão sinuoso era dominado por um balcão escuro e pesado que os funcionários chamavam de "O Altar". Parecia remontar ao período barroco. No frontispício havia entalhada uma cena campestre com um grupo de caça montado em corcéis magníficos, acompanhados por uma matilha de cães que corria atrás de uma alcateia de javalis.

Naquele lugar, portanto, foi feita a pergunta que justifica a mera razão de ser das livrarias:

— A senhora poderia me recomendar um bom livro?

A pessoa que perguntava era Ursel Schäfer, que tinha uma definição bastante clara do que, segundo ela, caracterizava um bom livro. Em primeiro lugar, era preciso mantê-la entretida de tal modo a deixá-la presa na cama, lendo até as pálpebras pesarem. Segundo, deveria levá-la às lágrimas em pelo menos três trechos; melhor ainda se fossem quatro. Terceiro, um bom livro jamais teria menos do que trezentas páginas e nem mais do que 380. Quarto: a capa em hipótese alguma poderia ser verde. Não se podia confiar em livros de capas verdes. Era uma experiência tenebrosa, pela qual Ursel passara algumas vezes.

— É claro — respondeu Sabine Gruber, gerente da livraria havia três anos. — Qual é o seu gênero preferido?

Ursel nem sequer respondeu. Queria que Sabine soubesse a resposta por ser livreira e porque, por natureza, devia ter certa mentalidade visionária.

— Me diga três conceitos para que eu possa encontrar o livro adequado. Amor? Sul da Inglaterra? Uma história romântica? Algo do tipo?

— O sr. Kollhoff não está aqui hoje? — perguntou Ursel com uma leve inquietação na voz. — Ele sempre sabe o que quero. Sempre sabe o que agrada a todos.

— Infelizmente ele não se encontra, agora só trabalha para nós de vez em quando.

— Ah, que pena.

— Bem, mas tenho algo aqui que talvez lhe agrade. É um romance sobre uma família, ambientado na Cornualha. A imagem na capa é a encantadora propriedade deles, que fica em meio a um parque imenso.

— A capa é verde — disse Ursel, lançando um olhar de reprovação para Sabine. — Verde-escura!

— Porque a trama se passa quase toda dentro do maravilhoso parque do duque de Durnborough. Todas as resenhas falam muito bem desse livro!

Nesse momento, a pesada porta da entrada se abriu, o que fez tilintar o sininho de cobre. Carl fechou o guarda-chuva, sacudiu-o em um gesto automático e o colocou no cesto. Seu olhar passeou pela livraria, chamada por ele de sua "pátria", à procura de livros recém-chegados, ansiosos para alcançarem seus leitores. Carl via a si mesmo como alguém que coleta conchas na praia. Bastava uma olhada para identificar vários achados apenas esperando para serem libertados dos grãos de areia. Quando viu Ursel Schäfer, no entanto, todas as conchas deixaram de ser importantes. Ela lhe dirigiu um sorriso caloroso, como se Carl fosse um amálgama de todos os personagens adoráveis pelos quais se apaixonara lendo os livros que ele lhe recomendara ao longo dos anos. No entanto, ele não se parecia com nenhum deles. Em outros tempos, até já tivera certa barriguinha, mas ela havia sumido, assim como os cabelos, como se tivessem combinado abandoná-lo ao mesmo tempo. Agora, aos 72 anos, era magro, mas continuava usando as mesmas roupas de antes, que estavam largas. Seu ex-chefe dizia que ele parecia se alimentar só de palavras, que têm pouquíssimos carboidratos. "Mas muita substância", Carl costumava retrucar.

Seus sapatos eram sempre pesados e desajeitados. Eram de couro preto grosso e com solas tão firmes que durariam uma vida inteira. E boas meias; Carl dava muito valor às meias. Para completar, um macacão verde-oliva e uma jaqueta da mesma cor.

Carl usava sempre um chapéu desleixado, estilo pescador, com aba curta que protegia os olhos da chuva e do brilho do sol. Jamais o tirava, nem mesmo dentro de casa; somente para dormir. Sem chapéu, sentia-se como se não estivesse completamente vestido. Também nunca ficava sem óculos, uma armação comprada muitas décadas antes em um brechó. As lentes escondiam olhos inteligentes, que davam sinais de muitas horas de leitura em luz muito ruim.

— Senhora Schäfer, muito prazer em revê-la — disse, aproximando-se de Ursel.

Ela, por sua vez, também foi chegando mais perto dele, afastando-se de Sabine.

— Posso recomendar um livro que ficaria muito bem na sua mesinha de cabeceira? — perguntou Carl.

— Adorei o último, principalmente porque, no fim, eles se entreolham. Um beijo teria sido ainda mais adequado para selar o assunto. Mas, nesse caso, me dou por satisfeita com um olhar.

— E esse olhar foi quase mais intenso do que um beijo. Esses olhares existem.

— Não quando sou eu quem beija — disse Ursel, achando-se maravilhosamente lasciva, o que era raro acontecer com ela.

— Este livro está à sua espera desde que chegou da editora. A história se passa na região da Provença e cada palavra recende a lavanda — disse Carl, puxando o volume do meio da pilha ao lado da caixa.

— Livros com a capa bordô são os melhores! Esse termina com um beijo?

— E você acha mesmo que eu vou contar?

— Jamais.

Ela lhe lançou um olhar acusador, mas mesmo assim pegou o livro das mãos de Carl.

É claro que ele jamais lhe recomendaria um romance sem final feliz. No entanto, ele não poderia deixar de provocar Ursel, deixando-a com uma pequena dúvida sobre se dessa vez, quem sabe, não seria diferente.

— Fico tão feliz que os livros existam! — disse ela. — Espero que isso não mude nunca. As coisas mudam tanto, tão rapidamente. Hoje em dia todo mundo só paga com cartão. Quando começo a catar minhas moedinhas para ajudar no troco, já me olham atravessado.

— A palavra escrita nunca vai acabar, sra. Schäfer. Existem coisas que simplesmente não dá para expressar de outro jeito. E o livro impresso ainda é a melhor maneira de preservar pensamentos e histórias. Os livros perduram por séculos e séculos.

Carl se despediu com um sorriso caloroso e passou por uma porta coberta de cartazes para um espaço que era meio escritório, meio almoxarifado. A mesa de trabalho estava coberta de livros; a tela do computador, coberta de *post-its* amarelos. Na parede, um calendário anual cheio de anotações em vermelho.

Como sempre, seus livros estavam numa caixa preta de plástico no canto mais escuro da sala. Antes, a caixa ficava na escrivaninha, mas, depois que Sabine assumira a livraria do pai, a caixa se movimentava todos os dias um pouco mais em direção ao canto mais inacessível. Ao mesmo tempo, também ia perdendo conteúdo. Não havia mais tanta gente para quem Carl levava livros. Menos pessoas a cada ano.

— Olá, sr. Kollhoff! O que achou do jogo? Nunca na vida aquilo poderia ter sido um pênalti. Estou chateado com aquele árbitro.

Leon, o novo estagiário, saiu do pequeno banheiro para funcionários trazendo consigo fumaça de cigarro. Qualquer outra pessoa sabia que não faria o menor sentido dirigir uma pergunta como aquela a Carl, que não assistia ao noticiário, não escutava rádio e não lia jornal. Ele próprio admitia que não era deste mundo. Fora uma decisão consciente, tomada ao perceber que a enxurrada de notícias — políticos incompetentes, o derretimento das calotas polares, o sofrimento dos refugiados — lhe causava mais tristeza do que o mais complexo drama familiar na ficção; era uma espécie de autoproteção, ainda que encolhesse muito seu mundo. Atualmente, esse mundo media apenas dois quilômetros quadrados, que ele percorria a pé todos os dias.

— Você conhece o maravilhoso livro sobre futebol de J. L. Carr? — perguntou Carl, em vez de entrar na questão da arbitragem.

— É sobre o nosso time?

— Não, é sobre um chamado Steeple Sinderby Wanderers.

— Não conheço. De qualquer forma, livros não são a minha praia. Só leio quando sou obrigado, na escola. E, mesmo assim, sempre que posso, prefiro ver o filme — disse Leon, rindo, como se achasse graça do fato de enganar os professores, quando, na verdade, estava enganando a si mesmo.

— Então por que você resolveu estagiar aqui?

— Minha irmã estagiou aqui três anos atrás. Moramos aqui perto, o caminho é curto.

Ele omitiu o fato de que todos os alunos que não encontravam estágio eram obrigados a passar dois anos trabalhando com o zelador da escola. Este aproveitava para se vingar de todas as paredes rabiscadas, dos chicletes colados sob as carteiras e dos restos de sanduíches nos canteiros e impunha tarefas humilhantes aos estagiários.

— E a sua irmã lê?

— Depois do estágio aqui, sim, mas esse risco certamente eu não corro.

Carl sorriu. Ele conhecia o motivo pelo qual a irmã de Leon começara a ler. Seu ex-chefe, Gustav Gruber, que agora vivia no asilo Münsterblick, sabia bem como lidar com jovens avessos a livros, como Leon e sua irmã. Mandava que limpassem com um pano cada um dos cartões de felicitação embrulhados em plástico. Isso entediava os estagiários a tal ponto que, no desespero, acabavam pegando o livro mais próximo, estrategicamente deixado em algum lugar perto deles. Dessa forma, convertera todos. Gustav tinha jeito até com crianças, que, para Carl, eram seres estranhos. Sempre tivera essa impressão, desde quando ele mesmo era criança. E quanto mais distante a própria infância se tornava, mais estranha a infância em si lhe parecia.

Na época, o velho Gruber atraíra a irmã de Leon com um romance em que uma menina se apaixona por um vampiro. Para

Leon, obviamente no meio da puberdade, ele com certeza teria deixado um livro com uma linda jovem na capa e com bastante espaçamento entre as linhas. O velho Gruber costumava dizer o seguinte: o importante é ler, não importa o conteúdo. Carl não concordava totalmente com isso, pois alguns pensamentos contidos entre capa e contracapa podem ser um veneno, embora seja muito mais frequente o papel conter a cura — às vezes, para certas coisas que nem imaginamos que precisam ser curadas.

Carl pegou cuidadosamente a caixa preta de plástico do canto. Dessa vez, só havia três livros, que pareciam estar perdidos ali dentro. Em seguida, buscou papel pardo e barbante para embrulhar um por um, como se fossem presentes. Sabine lhe pedira várias vezes que parasse com aquilo, a fim de economizar, mas Carl insistia, dizendo que seus clientes esperavam aquele gesto. Sem se dar conta, ele acariciava cada livro antes de embrulhá-lo com o papel grosso.

Feito isso, pegou sua mochila verde-oliva do Exército, velha e surrada, mas ainda em bom estado, graças aos cuidados que ele lhe dedicava. Estava vazia, mas as dobras do pano deixavam entrever que aquela não era sua forma natural. Com delicadeza, deslizou os livros para dentro da mochila, forrada com um cobertor de lã macio, como se fossem filhotinhos de cachorro. Arrumou os três livros de modo que o maior ficou rente às suas costas e os menores, por cima, para não serem amassados ao longo do trajeto.

Antes de sair, pensou e se virou para Leon.

— Por favor, dê uma limpeza nos cartões, sim? A sra. Gruber vai gostar. Traga-os aqui para a mesa, para poder fazer tudo com mais calma. Era assim que eu fazia.

Com um movimento rápido, Carl colocou sobre a mesa um exemplar de *Febre de bola*, de Nick Hornby, que acabara de avistar numa prateleira. A capa mostrava um campo de futebol sedutoramente verde, razão pela qual Ursel jamais o escolheria.

Carl costumava dizer que fazia uma ronda. Essa ronda, na verdade, era um trajeto quadrado que cruzava o Centro da cidade, sem ângulo reto e sem simetria. As fronteiras de seu universo eram marcadas pelos restos das muralhas da cidade, que eram como tocos de dentes de um ancião. Fazia 34 anos que não saía daquele universo, pois ali havia tudo de que precisava para viver.

Carl costumava caminhar muito, e pensava muito durante essas caminhadas. Às vezes, tinha a impressão de que só conseguia pensar direito dessa forma, como se pisar nos paralelepípedos estimulasse sua mente.

Era difícil notar para quem passava pelo Centro, mas todos os pombos e pardais sabiam que a cidade era redonda. As casas e os becos antigos davam para a catedral, que se erguia no Centro, imponente. Se fosse parte da maquete de um trenzinho de brinquedo, a catedral pareceria ter sido construída em uma escala errada. Fora erguida num breve período de prosperidade da cidade — tão breve que chegara ao fim antes do término da construção da torre.

As casas rodeavam respeitosamente a construção. Algumas das mais antigas até inclinavam levemente as frontes. Mantinham-se, contudo, distantes do portão principal, dando forma à maior e mais bela praça da cidade, a praça da Catedral.

Carl chegou à praça e logo voltou a ter aquela sensação de ser vigiado, como um cervo em uma clareira, indefeso, exposto aos olhares e aos canos da espingarda de um caçador. A ideia o fez sorrir, porque ele nunca se sentia como um cervo.

O cheiro da cidade era mais intenso na praça. O local fora sitiado no século XVII, e reza a lenda que um padeiro inventara a roda polvilhada — um doce em forma de roda com raios, recheado com creme de chocolate e polvilhado com açúcar de confeiteiro —, que ofereceu aos invasores para informá-los sobre o desejo dos habitantes de que fossem embora. Na verdade, o confeito altamente calórico só seria inventado duzentos anos depois, mas a lenda continuava a ser difundida, e os visitantes da cidade gostavam de acreditar nela.

Os passos de Carl o guiavam sempre pelos mesmos paralelepípedos da praça da Catedral, de forma lenta e regular. Se alguém atravessasse seu caminho, ele esperava e depois acelerava o passo, para recuperar o tempo perdido. Desenhara o trajeto cruzando a praça de maneira que pudesse fazê-lo sem maiores empecilhos, mesmo em dias de feira. Além disso, tentava passar o mais longe possível das quatro confeitarias com suas rodas polvilhadas, porque não suportava mais o cheiro quente e gorduroso do doce.

Dobrou a rua Beethoven, que, honestamente, não passava de uma viela que não fazia jus ao grande compositor. Um funcionário da Secretaria de Planejamento se apressara em batizar várias ruas com o nome de diversos compositores famosos, e dera à maior delas o nome de seu preferido, Schubert.

Carl não sabia, mas naquele momento estava bem no centro do seu universo particular, delimitado de dois lados pelas linhas de bonde 18 e 57 (embora a cidade só tivesse sete linhas de bonde, a numeração a fazia parecer uma metrópole), do terceiro, por uma estrada de alta velocidade que ia rumo ao norte e, do quarto, pelo rio, que durante quase o ano inteiro se contentava em correr de forma pitoresca, insistindo em encher só durante alguns dias da primavera. Era como um jovem leão que, apesar de ainda não ter cordas vocais bem desenvolvidas, ruge de vez em quando.

Seu primeiro desvio o levou até a casa de Christian von Hohenesch, na alameda Saliergasse. A mansão de pedras escuras era ligeiramente recuada, e o passante casual nem notava como era imponente. Parecia um cisne-negro agachado, esperando o momento de abrir suas asas esplêndidas. Atrás havia um parque retangular, ladeado por carvalhos gigantescos, e em seus três bancos podia-se desfrutar de raios de sol sobre as páginas de um livro a qualquer hora do dia.

Carl sabia que o homem era dono de uma grande fortuna, mas não que era o mais rico da cidade. Ninguém sabia, nem o próprio Von Hohenesch, que jamais se comparava a outras pessoas. Sua família fizera fortuna havia várias gerações com um curtume à margem do rio, e ele conseguira evitar perdê-lo no curso do processo de industrialização. Por isso, Christian von Hohenesch não precisava trabalhar. Suas ações e letras de câmbio trabalhavam por ele, que se limitava a instruir os administradores de sua fortuna. Todos os dias uma governanta preparava as refeições e limpava os poucos cômodos em uso; uma vez por semana, vinha o jardineiro, para que a luz do sol continuasse encontrando seu caminho até as páginas dos livros; uma vez por mês, vinha o serviço de manutenção. E todos os dias, de segunda a sexta, vinha Carl com um novo livro, que Christian von Hohenesch costumava terminar de ler no dia seguinte. Carl sabia que fazia uma eternidade que Von Hohenesch não deixava as fronteiras de seu reino.

Usando um bastão de cobre, Carl tocou o sino que fazia soar um badalo grave no interior da mansão. Como sempre, demorou um bom tempo para que o dono da casa percorresse o corredor longo e escuro até a porta pesada de madeira que rangia. Como sempre, abriu só uma fresta. Christian von Hohenesch jamais colocava os pés na rua. Era um homem bronzeado e bem-apessoado, alto, com as maçãs do rosto pronunciadas e um queixo marcante — e uma tristeza que o envolvia inteiro como um pó de arroz cinza. Como de costume, trajava um paletó azul-escuro com uma orquídea natural na lapela, e seus sapatos de couro preto brilhavam como se ele estivesse pronto para ir à ópera. Von Hohenesch era bem mais jovem do que faziam supor seus trajes, tinha apenas 37 anos. No entanto, desde muito novo só usava ternos, algo que, para ele, era tão natural quanto vestir calça jeans é para outras pessoas.

— Senhor Kollhoff, está atrasado. O combinado era sete e quinze — disse ele, em vez de cumprimentá-lo.

Carl inclinou a cabeça com naturalidade, retirou cuidadosamente da mochila o livro encomendado e ajeitou o laço da alça de barbante que se deslocara levemente durante o trajeto.

— Aqui está o livro.

— Espero que tenha acertado.

Von Hohenesch pegou o livro, mas sem tirá-lo do embrulho. Era um romance sobre a formação de Alexandre, o Grande, com Aristóteles. Von Hohenesch só lia obras filosóficas.

Ele estendeu a gorjeta a Carl. Era proporcional ao peso do livro, informação que ele pesquisara de antemão.

— Da próxima vez, seja mais pontual. A pontualidade é a educação dos reis.

— Uma ótima tarde para o senhor. Até mais.

— Para você também.

Christian von Hohenesch fechou a porta pesada. No mesmo instante, a mansão pareceu ficar sem vida. Antigamente, ele teria adorado trocar opiniões sobre livros e escritores com Carl, a quem prezava como um homem erudito e de boas maneiras. Com o tempo, porém, perdera a capacidade de formular convites. As palavras deviam estar perdidas em algum lugar naquela casa de incontáveis cômodos.

Carl despedira-se de Christian von Hohenesch, mas deixara outra pessoa para trás, pois a verdade é que via reflexos da literatura no mundo real. Para ele, a cidade era povoada por personagens dos livros, mesmo que vivessem em outras épocas ou em países muito distantes. Desde a primeira vez que Christian von Hohenesch abrira a pesada porta de sua mansão, Carl se vira diante de um homem que poderia ter saído diretamente das páginas do grandioso *Orgulho e preconceito*, de Jane Austen. Carl acabava, portanto, de deixar a mansão Pemberley, em Derbyshire, em pleno século XVIII, aos cuidados de seu dono, Fitzwilliam Darcy, um cavalheiro rico e inteligente que, apesar dos modos impecáveis, muitas vezes parecia um pouco arrogante e frio.

A razão dessa mania era que Carl tinha dificuldade em memorizar nomes, a não ser que fossem de personagens. Sempre fora assim, desde a época da escola. Enquanto os colegas atribuíam apelidos pouco lisonjeiros aos professores — Escova de Latrina, Príncipe Morfina ou O Cuspidor —, Carl os batizava de Ulisses, Tristão ou Gulliver. Ao contrário dos colegas, não abandonara a mania após a escola. Assim, o punk de roupas batidas que costumava encontrar em seu trajeto para a livraria se tornou o bom soldado Svejk e a vendedora de frutas, de quem comprava suas maçãs, a Rainha de *Branca de Neve*. Felizmente, a vendedora não costumava envenenar suas frutas. Em algum momento, Carl notou que a cidade estava repleta dessas correspondências literárias e que seria possível encontrar uma para cada habitante.

Foi assim que, ao longo dos anos, conheceu Sherlock Holmes, diretor do Departamento de Criminologia local; e até mesmo Lady Chatterley, que costumava abrir a porta usando apenas um quimono transparente, para quem Carl olhava com olhos compridos quando era mais jovem. Depois de um tempo, Lady Chatterley deixou a cidade com Adso de Melk. Havia o Capitão Ahab, obcecado com uma toupeira enorme que não conseguia retirar de seu jardim. Carl também levara livros sobre a América do Sul para Walter Faber, um engenheiro gravemente doente, até seus últimos dias. Já o Conde de Montecristo vivia em uma casa de janelas gradeadas, uma antiga prisão que, de um jeito estranho, mantinha também seu novo morador aprisionado.

Quase sempre Carl se lembrava primeiro do nome literário, como se sua memória tentasse protegê-lo de lidar com assuntos mundanos. A partir do momento em que se decidia por algum apelido, nem sequer se lembrava do nome verdadeiro de um cliente. Somente em situações muito especiais sua mente se apiedava e lhe oferecia essa informação. No caminho entre retina e cérebro, as letras que formavam Christian von Hohenesch, como que por mágica, e sem que ele se desse conta, se transformavam em Mister Darcy.

Em todo caso, naquele tempo já não havia mais necessidade de se lembrar de muitas coisas.

O caminho de Carl pelas vielas sinuosas o guiou até uma figura literária cujo destino era muito mais sombrio do que o de um jovem inglês bem casado.

A cliente esperava atrás da porta, espiando através do olho mágico a rua com poucos transeuntes. Ninguém passeava admirando os prédios, pois as construções bonitas ficavam a algumas quadras de distância. Naquela parte do Centro, as empenas das casas pareciam se fechar para não deixar passar a luz do dia, e as pessoas apertavam o passo, incapazes de suportar a estreiteza opressora das ruas.

A delicada jovem atrás do olho mágico já sabia o horário em que Carl Kollhoff passaria. Também sabia que era bobagem ficar espiando pelo olho mágico em vez de esperar na sala até a campainha tocar, mas não conseguia evitar. Andrea Cremmen ajeitou uma mecha loura atrás da orelha e alisou o vestido. Desde o jardim de infância, sempre fora a mais bonita, o que lhe rendera afetos, a tornara alvo de muito ciúme e a fizera ingressar em um casamento precoce com um bem-sucedido empresário do ramo de seguros. Matthias fazia muitas horas extras e trabalhava até nos fins de semana para garantir o bem-estar da família. Andrea era formada em enfermagem, mas trabalhava como recepcionista em um pequeno consultório, onde sua beleza deveria alegrar e acalmar os pacientes. Ninguém nunca lhe pedira que sorrisse, mas Andrea sorria porque era algo que fazia parte de sua condição de beldade. Mulheres bonitas que não sorriem podem ser vistas como arrogantes; por isso, ela passava o dia inteiro sorrindo.

Andrea nunca tivera coragem de não parecer perfeita; caso contrário, o que aconteceria? O que os outros veriam nela? O que restaria dela? Carl parecia ser uma pessoa a quem ela poderia se mostrar sem sorrir; ele escolheria as palavras certas para descrever o que via diante si. Andrea achava que ele escolhia as palavras como um perfumista, selecionando ingredientes para uma mistura cara. Sem sorrir, ela soltou a mecha de trás da orelha, deixando o cabelo ficar um pouco bagunçado, mas, ao notar Carl vindo pela viela, voltou a ajeitá-la.

Ele tocou a campainha e esperou. Andrea costumava demorar e atendia ofegante, embora sempre sorrindo.

Carl escutou o barulho da chave virando na fechadura, e a porta se abriu.

— Senhor Kollhoff, chegou cedo, não o esperava a essa hora! Devo estar com uma aparência horrível.

Ela passou os dedos pelo penteado impecável, que combinava perfeitamente com o vestido elegante estampado de rosas vermelhas.

Carl achava Andrea encantadora, mas sua beleza também o deixava um pouco triste. Havia algo nela que não conseguia captar, algo que tinha a ver com o objeto que ele logo tirou da mochila: um dos livros que Andrea Cremmen tanto amava. O volume tinha um peso adequado (ele gostava quando tinham o peso apropriado, nem tão leves quanto uma barra de chocolate nem tão pesados quanto um litro de leite). Mas a Andrea preocupava o peso de seu teor.

— É bom? — perguntou ela, ajeitando o laço do embrulho.

— Pelo que sei, *A rosa negra* está no mesmo nível de qualidade das outras obras da autora.

— Bem dramático?

Foi a vez de Carl sorrir. Havia um entendimento tácito entre ambos: os livros escolhidos deveriam ser sempre dramáticos e terminar em tragédia. No passado, ele recomendara alguns livros com final feliz, mas Andrea não gostou, julgava-os distantes demais da realidade.

Em contrapartida, ela adorava romances em que a protagonista sofria e morria no final, ou então ficava só e infeliz. Finais em aberto só eram aceitáveis se tivessem um propósito.

— Como sempre, não vou contar nada — disse Carl. — O que achou do último?

Andrea respirou fundo e meneou a cabeça.

— Muito triste. Ela se afoga no final... Por que o senhor não me avisou? — perguntou ela, fazendo beicinho.

— Eu não podia fazer isso.

Antigamente, Carl tinha o hábito de embrulhar os livros com um papel colorido e alegre, mas havia parado porque isso não lhe parecia genuíno.

— Poderia me trazer outro na semana que vem? Acabei de saber de um romance em que é noite o tempo todo, porque se passa no inverno da Groenlândia. E a protagonista perde o filho. Conhece? Achei interessante.

Carl conhecia, mas não imaginou que Andrea pudesse ter ficado sabendo dele.

— Eu trago para você — disse ele, sem dizer que o faria com prazer, visto que seria mentira.

— Poderia me recomendar outro?

— Saiu um romance policial novo ambientado em nossa cidade. Ainda não li, mas dizem que é bem divertido.

Andrea fez um gesto, declinando.

— E acha que eu vou gostar?

Por questão de princípios, Carl jamais mentia. Quando se coloca uma mentira no mundo é difícil resgatá-la.

— Não.

— Bem, também acho.

— Mas talvez a fizesse dar boas risadas. E, perdoe o meu comentário, você é dona de uma bela risada. Sem dúvida conhece a frase atribuída a Charlie Chaplin de que "um dia sem rir é um dia perdido", certo? Temos poucos dias no mundo, não podemos nos dar ao luxo de desperdiçar nenhum.

Carl nunca dissera nada parecido a Andrea. Será que a tristeza que percebeu nela aquele dia era maior do que de costume? Ele não sabia dizer. Às vezes, sua boca dizia coisas que a cabeça não ordenara.

O sorriso de Andrea desapareceu. Em vez disso, seu lábio inferior tremeu um pouco.

— Você acabou de salvar meu dia. Obrigada!

Em seguida, ela fechou a porta.

Para Carl, não fora Andrea Cremmen quem fechara a porta, mas a jovem e triste Effi Briest, que se casara muito cedo e cujo destino trágico era igual ao de tantas mulheres sobre as quais Andrea lia. Carl queria muito fazer mais por ela do que apenas levar livros que provavam o sofrimento de tantas outras mulheres, mas que não explicavam como acabar com essa dor.

    Atrás da porta, Andrea reprimiu as lágrimas. Adoraria ter contado para ele o que acontecera. Isso, porém, significaria reviver tudo, coisa que ela não queria. Com as mãos trêmulas, desembrulhou o livro e começou a ler ainda no corredor.

    Logo na primeira página, alguém comete suicídio.

Carl havia avançado pouco quando escutou um miado fininho. Avistou o gato magro de três patas, pelo falhado e orelhas carcomidas. Impossível saber se era macho ou fêmea, ou se tinha dono. Mas Carl sabia que eram bons amigos. Enquanto algumas pessoas tinham animais puramente domésticos, ele tinha uma companhia para passear.

    — Oi, Canino — disse ele, e sorriu.

    Carl dera esse nome a ele porque o gato se comportava como um cachorro: ia atrás dele, farejava tudo e marcava o território. Canino não miava, mas soltava uma espécie de rosnado. Enquanto Carl atendia os clientes, Canino não se sentava: ficava deitado no chão ou em qualquer outro lugar, mesmo no corrimão mais estreito.

    Canino se esfregou na perna de Carl e logo saiu em disparada, olhando para ele com impaciência. Esperto, o bicho parecia saber que na terceira entrega de livro do dia poderia haver comida. A quatro quadras da fonte Elisenbrunnen morava uma senhora idosa que era o oposto de Effi Briest: animada, alegre, sempre em roupas coloridas. Costumava usar meias ou pés de sapato descombinados, ou às vezes uma alça do macacão pendendo do ombro.

Seu apartamento continha um amontoado de objetos, e vales e abismos corriam em meio a eles. A velha lembrava a Carl a protagonista de um livro infantil, uma garotinha meio doida que vivia como queria e assim ia construindo um mundo a seu modo. Mas a velha jamais ia à rua. Tinha medo de espaços abertos.

Pouco mais de sete anos antes, ela passava um dia de verão esplendoroso com o marido no jardim, à sombra de uma nogueira, quando o tempo virou, trazendo vento e uma forte tempestade. O casal já estava dentro de casa quando reparou que haviam esquecido as latas de lixo na rua, o que era sempre alvo de reclamações dos vizinhos. Por isso, apesar das tentativas de demovê-lo, o marido enfrentou a tempestade. "Vai ser rapidinho, volto em um segundo", dissera ele. "Que mal pode acontecer?" Transformada em projétil pelo vento, a telha se desprendera do telhado e, desprotegida, a cabeça do marido fora o alvo.

Desde aquele dia, a velha não se importava mais com o que os vizinhos pensavam. E também nunca mais colocara os pés para fora de casa.

Quando abria a porta, nunca dizia "Boa tarde, sr. Kollhoff", "Olá" ou "Prazer em vê-lo". Em vez disso, dizia coisas como: "Era um negociante de carros 'abusados'." Dessa vez, quando Carl tocou a campainha, ela o recebeu com um largo sorriso e o termo *"autossapolência"*, e cabia a ele, então, encontrar uma definição crível para tal.

— *Autossapolência* é o caminho da descoberta do núcleo do próprio ser. O conceito se refere ao conto de fadas "O rei Sapo ou Henrique de Ferro", dos irmãos Grimm, e contém a hipótese de que cada um tem dentro de si um sapo que pode se transformar em príncipe por meio do amor. No conto, essa transformação se dá com um beijo. O termo foi cunhado em 1923, no ensaio de Freud "O Eu e o Id e o Sapo".

Como prêmio, a sra. Píppi Meialonga deu ao visitante uma bala de cereja (quando a explicação do enigma não era tão boa, a bala era de limão). Em contrapartida, Carl entregou o livro encomendado envolto no papel de embrulho em que ele sempre pintava uma grande flor amarela. Píppi Meialonga gostava de ler tudo, de aventuras clássicas a ficção científica, passando por comédias. Sempre literatura leve, nada que a trouxesse de volta à dura realidade.

— Depois de amanhã terei um novo enigma — disse ela, antes de fechar a porta. — Um osso bem duro de roer.

Em seguida, abaixou-se para fazer carinho em Canino e tirou do bolso da calça alguma coisa que o bichano devorou de uma vez só.

Embora a mochila de Carl estivesse vazia, ainda faltava uma visita, uma que ele adorava fazer, pois o cliente em questão era dono da voz de barítono mais calorosa que Carl jamais escutara. Se fosse possível usar uma voz para estofar um sofá, teria de ser aquela. Para Carl, ele era *O Leitor*. Bem de acordo com o livro de Bernhard Schlink — no qual o jovem Michael Berg se apaixona por uma mulher vinte anos mais velha ao ler para ela em voz alta —, o barítono lia para as operárias de uma fábrica de charutos.

Fundada havia alguns anos, a fábrica era a única em todo o país. A empresa investira em uma pessoa que lia livros durante o expediente, tal como se faz em Cuba. Óbvio que era um truque de marketing e O Leitor não era bem remunerado. No entanto, ele gostava tanto do trabalho que vivia com um xale no pescoço para manter aquecidas as cordas vocais. Falava pouco quando estava fora da fábrica, para poupar a voz. Por isso, Carl recebera com surpresa a ligação para seu número particular: O Leitor lhe pedia que trouxesse pastilhas para a garganta que só eram vendidas na farmácia ao lado da livraria. Ele próprio, O Leitor, não queria ir à rua, pois ocorria um surto de gripe na cidade. Provavelmente foi por esta razão que só abriu uma fresta da porta quando Carl chegou. Com um sorriso de gratidão, ele pegou as pastilhas e deu a Carl o dinheiro, junto com uma generosa gorjeta (que o livreiro não quis aceitar, sabendo da condição financeira do cliente). O Leitor então tirou uma pastilha da latinha e logo voltou a fechar a porta de seu apartamento alugado, localizado no sótão de um austero edifício residencial. Sua construção prescindira de tudo o que pudesse conferir um pouco de beleza ou encanto a um prédio. Era um edifício utilitário, como aquelas gaiolas em que se criam galinhas.

Carl sempre ficava triste quando a mochila ficava vazia, sinal de que estava na hora de voltar para casa. Não que não gostasse de onde morava, mas Canino nunca o seguia até lá, e não havia ninguém à sua espera, ninguém que lhe desse uma cutucada com o ombro para pedir um carinho.

 Por hábito, sempre fazia o trajeto de volta passando pelo cemitério da cidade. De certo modo, saber onde o caminho terminava suavizava um pouco o terror da morte, e isso o acalmava. Um dos motivos para tal era a beleza do cemitério, com seus mais de duzentos anos de idade, em cujo centro jazia uma grande estátua que personificava a morte, um crânio que parecia debochar de tudo com sabedoria.

Abaixo da campainha de Carl havia uma placa com a inscrição E. T. A. Kollhoff. Era mentira, ou uma meia verdade, porque o sobrenome estava mesmo certo. Carl sempre admirara o escritor E. T. A. Hoffmann pelas suas iniciais. Além disso, quem mais tinha nomes com três iniciais? J. R. R. Tolkien! E, na música, Bach, inicial C. P. E. Havia algo de especial nessa combinação, muitas coisas podiam se esconder atrás das três letras. Era como se guardassem um mistério, além, é claro, de perguntar por que seus detentores não escreviam nenhum dos prenomes por extenso?

Às vezes, as cartas voltavam, porque algum novo carteiro não sabia que era Carl que se escondia atrás daquela inicial. Ainda assim, não foi motivo para que mudasse a identificação na plaquinha. Aos 72 anos, ele já não recebia mais muita correspondência. E quando chegava alguma carta, raramente era motivo de alegria; podiam muito bem voltar para o Correio Central.

O apartamento de Carl tinha cômodos demais. Quatro, além da pequena cozinha e de um banheiro sem janelas. Às vezes, pareciam canteiros em que nunca crescera nada. Em certo ponto da vida, ele imaginara que dois deles seriam destinados aos filhos: o da janela com vista para o pátio verde, para uma menina. O outro, que dava para a rua, e de onde se podiam observar os carros passando, para um menino. Carl nunca encontrara uma mulher com quem pudesse ter filhos, mas permanecera no apartamento ainda assim. O valor do aluguel não sofrera reajuste algum ao longo de todas aquelas décadas. Provavelmente, ele fora esquecido.

Sua companhia era uma família de papel, protegida da luz e da poeira por vitrines de vidro jateado. Os livros exigiam ser relidos por ele do mesmo jeito que as pérolas precisam ser usadas para manter o brilho, ou como os animais precisam receber afagos para se sentirem amados. Às vezes, Carl tinha a sensação de que as palavras nas páginas tinham sido feitas a partir de suas células. No fundo, sabia que na verdade fora ele quem as absorvera durante tantos anos de leituras.

Era capaz de entender quem colecionava livros como se fossem selos, pessoas que gostavam de correr o olhar sobre as lombadas, sabendo que dentro de cada um viviam pessoas com as quais se sentiam conectadas, que em cada um havia trajetórias que compartilhavam ou gostariam de compartilhar. Pessoas que se cercavam de livros como quem cria uma comunidade de bons amigos ou vizinhos.

Carl pendurou o casaco verde no gancho atrás da porta, a mochila ao lado e endireitou ambos. Depois, foi até o balcão da cozinha, onde se serviu de uma fatia de pão preto com manteiga com sal, bebeu um copo de suco de chucrute e, por fim, comeu uma maçã verde fatiada em quatro pedaços.

Muitos anos antes, o anúncio do apartamento dissera "com varanda", mas a varanda, na verdade, se resumia a uma balaustrada de ferro fundido em frente à porta de vidro duplo, ao lado de onde ficava a velha poltrona. Sobre ela havia sempre um livro, com uma notinha fiscal fazendo vezes de marcador. Dali, Carl podia avistar o Centro da cidade e ficar sabendo se um de seus clientes estava na rua ou se Canino saltitava pelos telhados. Costumava ler até às dez em ponto; depois, fazia a higiene e ia para a cama. Ao puxar o cobertor, tinha certeza de que no dia seguinte voltaria a levar livros muito especiais para clientes muito especiais.

Capítulo 2

O estrangeiro

Quando acordou, Carl voltou a se sentir como um livro que perdeu algumas páginas. A sensação se intensificara ao longo dos últimos meses, como se não houvesse muito mais a ler do romance de sua vida.

Foi até a cozinha e passou um café. A temperatura aqueceu seus dedos frios do sono, como se alguém tivesse acendido uma fogueirinha dentro da xícara. O calor também causou uma felicidade que aos pouquinhos, como uma onda suave, foi se espalhando pelo corpo. Por esse motivo é que todas as xícaras de sua casa eram de porcelana finíssima. As de porcelana grossa, embora mais baratas e resistentes, não proporcionavam o mesmo prazer.

A manhã transcorreu como as imagens granuladas de um filme em preto e branco, que só permitem uma visão geral das ações. Somente às seis e meia as cores retornaram, quando o sininho sobre a porta anunciou sua chegada à livraria.

Sabine estava entrincheirada atrás do balcão. A posição era estratégica: desse jeito, nenhum cliente conseguiria enxergar o recorte de jornal pendurado atrás dela em uma moldura dourada. De meia página, a matéria trazia uma foto de Carl e falava sobre seu jeito incomum de entregar livros. Até uma reportagem para a televisão já fora feita sobre o assunto. Quando o programa foi ao ar, muita gente começou a fazer encomendas, mas o charme da novidade logo passou e as pessoas foram se dando conta de que não gostavam de ler: gostavam de assistir à TV.

Naquele dia só havia dois livros na caixa de Carl. Embora tivessem poucas páginas, pareceram pesados quando ele os colocou na mochila.

Leon estava agachado no carpete, ao lado da estante com os cartões-postais ainda empoeirados, olhando com fascínio para a tela do celular. O livro sobre futebol de Nick Hornby permanecia intocado sobre a mesa, à espera. Até mesmo uma voz como a de Nick Hornby tinha dificuldades de se fazer ouvir diante de tantas outras na internet.

— De patrulha? — perguntou Leon, sem levantar os olhos da tela.

— Não sou policial, Leon — respondeu Carl. — Eu entrego livros. Só o conteúdo deles talvez seja policial.

— Mas isso não é chato? — perguntou Leon, novamente sem erguer o rosto.

Carl teve a impressão de que retrucara mais por questão de hábito do que por verdadeiro interesse na resposta. Mas sempre que era questionado, Carl respondia da forma mais honesta e correta possível, e assim o fez.

— Sou como os ponteiros de um relógio. Parece triste, pois eles sempre percorrem o mesmo caminho e sempre retornam ao ponto de partida. Mas, em compensação, eles têm certeza de que não vão desviar do caminho e da meta, e são sempre úteis e precisos.

Carl olhou para Leon, que continuava sem olhar para ele.

— Entendi — disse ele.

Carl ajeitou a gola do casaco e saiu, reconfortando-se com a agradável sensação da tarefa à sua espera. O que não sabia era que, naquele dia, outra missão começaria para ele, bem mais pesada do que uma mochila cheia de livros.

Era um belo dia de um outono que já antecipava o verão. Banhadas pelo sol, as velhas muralhas da praça da Catedral pareciam mais jovens, assim como toda a cidade.

No mesmo instante em que Carl pisou nos paralelepípedos polidos pelas solas dos sapatos de inúmeras gerações, voltou a sentir que estava sendo observado. A sensação foi tão intensa que parou e olhou para trás, movendo o olhar como o feixe de luz de um farol. As pessoas passavam por ele como os barcos — algumas, velozes como lanchas; outras, ao sabor do vento, como canoas. Nenhuma dessas embarcações dava a mínima para a presença dele.

Carl sabia que precisava continuar seguindo caminho para dar conta de todas as entregas. Sentia os segundos escorrendo por suas pernas impacientes. Desse modo, retomou a marcha e tentou espantar o incômodo como se fosse uma mosca irritante. Em vão.

Num piscar de olhos, se deu conta de que uma menininha de cabelos escuros começara a caminhar a seu lado, adequando o ritmo das passadas às dele.

Era idêntica à protagonista de *Um castelo para a princesa*, um daqueles livros com vários vestidinhos que podem ser colocados sobre o corpo de uma bonequinha com fita adesiva. Também se parecia um pouco com a menina de *Lily e o crocodilo simpático*, no qual a protagonista e o animal lutam lado a lado contra o malvado Kaspar. No entanto, para que ficassem realmente parecidas seria preciso vestir a personagem com um casaco de inverno amarelo com botões pesados de madeira, uma meia-calça de lã amarela e botinhas marrom-claras com forro de pelo de ovelha.

O que mais chamava a atenção na garota era uma boina de couro com óculos de aviador acoplados, um acessório meramente estético e que certamente não habilitava ninguém a pilotar qualquer equipamento com hélice. O rosto parecia ter sido polvilhado de pólen de girassol, tamanha a quantidade de sardas, principalmente no nariz arrebitado, como se aquele fosse o ponto alto da face da menina. Os olhos eram de um azul claro como o céu, não como o mar.

— Olá, meu nome é Schascha. Tenho nove anos.

Embora dita mais como informação do que como solicitação, a apresentação parecia conter a expectativa de que Carl também se apresentasse, dizendo nome e idade. Schascha era pequena para a idade, aspecto que era motivo de muita implicância na escola. E, apesar de se achar um pouco gordinha, aquilo vinha a ser apenas as reservas de um corpo infantil antes do estirão.

Carl não diminuiu o passo, pois os livros precisavam chegar até seus donos com pontualidade. Embora não fossem verduras, ainda assim ele os considerava produtos perecíveis.

— Você não tem medo de mim? — perguntou ele, de repente.

— Não.

— Mas com certeza seus pais não deixam você andar por aí com um desconhecido.

— Você não é um desconhecido, eu conheço você.

— Impossível.

— Eu sempre vejo você da janela do meu quarto, andando pela praça da Catedral. Bem, na verdade, sempre quer dizer desde que me lembro. Meu pai diz que eu comecei a pensar cedo e depois nunca mais parei. E, bem, você sempre esteve aqui, como os badalos do sino da catedral. Portanto, te conheço.

As palavras jorravam da boca de Schascha como de uma fonte.

— Se você me conhece, qual é o meu nome?

— Bem, eu não sei o nome dos sinos da catedral, mas ainda assim eu saberia dizer que são os sinos da nossa catedral, mesmo se estivessem entre centenas de milhões de outros. Assim como eu reconheceria você no meio de um monte de gente.

Carl não se convenceu: a argumentação lhe pareceu muito infantil.

— Então você não me conhece direito, e isso faz de mim um desconhecido, sim.

— Você é o Passeador de Livros, esse é o apelido que eu te dei. Então você tem nome, sim.

Carl suspirou.

— Se você já me observa há tanto tempo, certamente sabe que eu sempre ando sozinho.

— Sem problemas, você pode ir andando sozinho e eu vou andando sozinha do seu lado.

Embora Carl gostasse de crianças, não conseguia entendê-las direito. Sua infância estava em um ponto tão distante do passado que, para ele, não passava de fotos esmaecidas de uma Polaroid. Ao passo que ele envelhecia, as crianças permaneciam crianças, e, dessa forma, a distância entre ele e elas só aumentava. Carl já não sabia como transpô-la.

— Não — retrucou ele. — Não vai.

E, com isso, ele seguiu andando e deixou Schascha ali, parada no meio da praça.

No dia seguinte, Schascha estava de volta. No começo, não disse nada e limitou-se a caminhar ao lado de Carl, observando-o.

— Ontem de noite eu fiquei pensando se você pode ser perigoso de verdade. Porque me perguntou se tenho medo de você — disse ela, e então, apontando para os pés dele, acrescentou:

— Mas seu jeito de andar não parece perigoso.

Carl olhou para a ponta dos pés e observou como se movimentavam. Jamais havia parado para pensar se seu jeito de andar parecia perigoso ou não. Mas uma coisa o levara, sim, a parar e pensar na noite anterior: o que faria caso Schascha voltasse. E chegou à conclusão de que não permitiria, de forma alguma, que ela o acompanhasse em suas rondas. Por isso, disse:

— Talvez meu jeito de andar fique bem perigoso depois que eu virar a esquina e entrar nas vielas estreitas do Centro histórico.

Ela meneou a cabeça, fazendo balançar os cachos escuros.

— Hum, não acredito nisso.

— Eu posso ser um ladrão de criancinhas!

Schascha nem se abalou.

— Você não seria capaz.

— Quer que eu prove?

— Você é muito lento.
— Tem certeza? Quer que eu mostre como consigo pegar você?
Cética, Schascha baixou o queixo e ergueu as sobrancelhas.
— Está falando sério?
— Está duvidando?
— Vai mesmo me pegar ou não tem coragem?
Carl rodeou Schascha. Como ela o olhava fixamente, esperou que piscasse para tentar agarrá-la, mas a menina escapou sem dificuldade, bastando dar um pulinho para o lado. Carl tentou de novo, e mais uma vez ela escapou tranquilamente, rindo.
— Na escola a gente sempre brinca de pega-pega e eu sou a segunda melhor! Só a Svenia é mais rápida do que eu, mas ela é a melhor em tudo, então, não vale. A Svenia é um pouco má também. Ela dá notas para as amigas, e vive mudando quando bem entende.
Carl desistiu de tentar mais uma vez pegar Schascha. Já havia se exposto ao ridículo o suficiente, e torcia para que ninguém tivesse visto a cena, pois tinha um nome a zelar. Schascha olhava para ele sorrindo de orelha a orelha.
— Você não tem medo de mim, mas parece que tem de Svenia — comentou ele.
— Com certeza. Todo mundo tem medo dela, e é melhor ter mesmo. Você também teria.
Carl riu, e soou como uma velha máquina enferrujada sendo colocada de volta ao trabalho.
— Você ri de um jeito estranho — disse Schascha. — Como se não soubesse rir direito.
— Todo mundo sabe rir.

— Não, minha tia Bärbel não sabe, ela nunca ri. No país dela, as pessoas não riem.

— E de onde ela é?

— Da Suécia, eu acho.

— E por que as pessoas na Suécia não riem?

— Porque lá faz muito frio no inverno. Se você abre a boca para rir, entra um ar gelado que machuca muito os dentes. É por isso que lá eles só sorriem. E tia Bärbel abana as mãos de um jeito muito esquisito quando acha graça de alguma coisa. Às vezes ela também dá um passinho meio de pinguim.

Carl dobrou na alameda Saliergasse.

— Com certeza seus pais estão preocupados com você.

— Meu pai ainda está no trabalho, e minha mãe morreu.

Carl parou e olhou para os olhos azuis de Schascha.

— Sinto muito.

— Por qual das duas coisas?

Carl pensou.

— Por ambas, só que mais pela segunda.

— Bem, minha mãe é só uma foto em cima da cômoda do corredor, mal consigo me lembrar dela. Por isso não tenho motivos para ficar triste, eu acho — disse ela, apontando para a própria boca e sorrindo. — Papai diz que eu tenho o sorriso e o jeito de rir dela, por isso gosto de rir. É como se ela estivesse rindo comigo. A sua mãe também ri quando você ri?

Carl não queria falar sobre a mãe dele.

— Mas se seu pai chegar em casa e você não estiver...

— Ah, mas ele está acostumado! Quase sempre estou fora, e ele nunca se preocupa. E você também não precisa se preocupar.

Desde a morte da esposa, quando a família passou a ter um salário a menos, o pai de Schascha frequentemente fazia horas extras na metalúrgica. Se não fosse assim, teriam precisado se mudar, e ele poupara Schascha, pois não queria que ela perdesse seu círculo de amizades. Ao menos essa parte da vida da filha deveria permanecer igual, pensara ele.

— Pensei em ir com você hoje, porque estou há um tempão querendo saber aonde você vai. Sempre te vejo cruzando a praça, mas depois disso não faço ideia. Tentei desenhar a rota várias vezes. Mas não só de cabeça, sabia? Eu realmente fiz um desenho com lápis de cor. Só que eu quero ter certeza. Sou muito curiosa. E, como não me aguentava mais, vim encontrar você.

A mansão de Darcy não ficava longe.

— Existe um provérbio que diz: "a curiosidade matou o gato". Você sabia?

Schascha ergueu as sobrancelhas.

— Em outras palavras: você não vai comigo a lugar nenhum. Pronto e acabou.

No dia seguinte, Schascha estava de volta. Tinha bolado um grande plano. Independentemente de quais argumentos ela inventasse para acompanhar Carl, ele sempre teria outros melhores. Por isso, a menina planejou caminhar ao lado dele sem dizer absolutamente nada.

A cada passo, Carl esperou, em vão, que ela abrisse a boca. Como ele mesmo não sabia o que dizer, nada disse, e assim, mudos, os dois foram caminhando por um bom tempo, lado a lado. Carl resolveu permitir que Schascha o acompanhasse só naquele dia, e só porque ela estava em silêncio, embora aquilo claramente parecesse errado.

— Bem, então que seja. Mas trate de ficar quietinha, nem uma palavra.

— Pode deixar.

— E nada de fazer arte.

— Eu nunca faço.

— E sem incomodar meus clientes.

— Eu nunca incomodo ninguém.

— Mas só por hoje! Estou abrindo uma exceção. Você sabe o que significa exceção?

— É claro que sei. Não sou mais um bebezinho, tenho quase dez anos.

Para cada passo de Carl, Schascha precisava dar dois passos e meio. Por isso, sua forma de caminhar era inquieta. O clique de suas passadas soava irregular perto do ritmo estável da sola de couro do sapato de Carl, como se ela andasse aos tropeções.

Quando estavam diante da mansão de Mister Darcy, ele parou e respirou fundo.

— Mister Darcy é um excelente cliente. Lê um livro por dia.

— Um livro inteiro?

— Sim

— Uau! Mas ele não deve conseguir fazer muitas coisas além disso — disse ela, observando a casa com um ar de admiração.

— A casa inteira deve estar cheia de livros, até o telhado.

Uma mansão cheia de livros parecia o paraíso para Schascha — ou pelo menos um dos paraísos que ela conseguia imaginar. Havia aquele outro, clássico, cheio de árvores de algodão-doce e fontes de chocolate. Schascha achava que, com nove anos, era perfeitamente legítimo ter uma coleção de paraísos possíveis.

— Acho que Mister Darcy não lida bem com crianças — alertou Carl ao tocar a campainha, sentindo um vínculo inegável com o cliente.

Mister Darcy abriu e de imediato fechou a porta ao avistar Schascha, provavelmente pensando que estava ali com o intuito de pedir algum tipo de doação para a caridade. Ele detestava fazer doações pessoalmente. Todos os anos transferia um décimo de sua renda para organizações beneficentes, mas o gesto de colocar dinheiro na mão de alguém o fazia sentir como se estivesse se desculpando por algo.

Carl tocou de novo.

— Senhor Von Hohenesch, sou eu, Carl, da livraria.

A porta se abriu novamente.

— E essa menina, quem é?

— Ela está me acompanhando hoje. Mas é bem-comportada.

Carl dissera isso menos em tom de afirmação e mais como uma ordem direta a Schascha.

— Quantos livros o senhor tem ao todo? — perguntou ela a Von Hohenesch.

Ele balançou a cabeça, como se não tivesse entendido.

— Sou boa de contas — disse Schascha, se adiantando para dentro da casa. — Muito boa. Não sei quem disse essa bobagem de que meninas não são boas em matemática. Ou que esportes não são para garotas, outra bobagem. Eu mesma sei correr e fazer contas ao mesmo tempo. Querem ver?

Sabendo por experiência própria que às vezes as pessoas respondiam não, Schascha nem esperou pela resposta de Mister Darcy e saiu correndo pela casa. O local era cheio de escadas, corrimões, portas e janelas, mas nem sinal de pessoas, ou livros. As paredes que ela havia esperado ver forradas de lombadas estavam, na verdade, forradas de veludo e repletas de quadros.

Escutou uma voz dizendo "Volte aqui, garota!", mas fingiu que não era com ela, e continuou correndo.

Em segundos Schascha se viu dentro de um gigantesco salão vazio. A lareira estava acesa, e havia um sofá de couro marrom-escuro e uma mesa de mármore sobre a qual repousavam um caderno e três livros.

— Três? — disse ela. — Só três? Onde estão os outros? No porão?

Schascha estava prestes a sair correndo de novo quando Darcy e Carl entraram no salão.

— Eu realmente sinto muito — disse Carl. — Não imaginei que ela se comportaria assim.

E sentia muito mesmo. Carl tratava os poucos clientes que ainda lhe restavam com todo o cuidado, e ali estava Schascha, colocando tudo a perder. Logo com Mister Darcy, o mais reservado de todos, tão cioso de sua vida privada, logo ele. Por que não se mantivera firme em sua decisão? Por que permitira que Schascha o acompanhasse? Que velho idiota ele era! Carl levaria a menina imediatamente de volta para casa e esperaria até que o pai dela chegasse do trabalho. Então, exigiria que o homem se certificasse de que a filha não voltaria a incomodá-lo.

Mister Darcy se aproximou de Schascha. O que ele seria capaz de fazer em um momento de fúria?

— Você não vai encontrar outros livros — disse ele com uma voz subitamente tranquila. — Na casa inteira só existem esses três.

Schascha olhou para a lareira, assustada.

— Os outros você jogou na fogueira?

Von Hohenesch sentou-se no sofá.

— Venha aqui, por favor.

Schascha nem hesitou. A menina vivia num mundo em que os ricos deviam ser boas pessoas, caso contrário não seriam ricos. Uma perspectiva que certamente mudaria ao longo dos anos.

— Eu amo muito os livros. Jamais os queimaria, embora ache que poderia abrir uma exceção em um inverno rigoroso, se estivesse correndo o risco de morrer congelado. Os livros podem aquecer nosso coração, sabe? Em caso de emergência, também aquecem nosso corpo.

— Mas onde estão todos os seus livros, então? — perguntou a menina.

— Cada dia mais pessoas estão lendo menos. No entanto, existem pessoas dentro das páginas. É como se cada livro contivesse um coração que só começa a bater quando é lido, porque nosso coração o impulsiona.

A voz dele parecia triste. Ele mal olhava para Schascha enquanto falava, os olhos fixos na lareira. Mister Darcy não tinha o hábito de falar muito, e só o fazia então porque a conversa parecia um monólogo. E se, naquele momento, estava se dirigindo a alguém, esse alguém era Carl, a quem havia muito tempo tinha vontade de dizer tantas coisas.

— Sou um anacronismo, e gosto de ser assim. Ando a passo lento em um mundo cada vez mais veloz.

Mister Darcy tirou um dos livros da pequena pilha.

— Gostaria que as pessoas voltassem a ler, sabe? Então, tudo o que leio vai diretamente para a biblioteca municipal, para que outras pessoas possam ter prazer com aquela leitura antes que as páginas comecem a amarelar.

— Amarelar... — disse Schascha, deixando a palavra deslizar por seus lábios. — Que palavra feia. Parece grudenta!

— Sim, e é mesmo. E contagiosa, como uma doença que a gente pegaria ao tocar nas páginas. Um livro amarelado é como um leproso, ninguém quer chegar perto dele... Por isso ajudei a financiar a construção de um anexo da biblioteca municipal, onde os livros antigos podem ser armazenados da maneira correta para que não se deteriorem. Uma espécie de asilo, por assim dizer. Embora, infelizmente, saibamos que nunca mais eles voltarão a ser jovens.

Schascha imaginou os livros velhos se aninhando uns aos outros em uma biblioteca escura, e ficou triste com a cena. Mas tampouco se alegrava naquela mansão vazia, cujas paredes eram nuas e frias.

— Mas e os livros de que você gosta muito? Esses não devem ser dados. Eu jamais doaria *Cachos e Tranças*.

— Mas são precisamente os livros que mais estimamos que devemos passar adiante, para que outras pessoas também possam se alegrar com eles.

— O senhor parece um padre falando.

— Às vezes me sinto como um — disse ele, que sorriu e olhou para Carl. — Esperta essa sua companheirinha.

— Estou tão surpreso quanto o senhor.

— Pode trazê-la da próxima vez. Mas agora preciso trabalhar mais um pouco, antes do fechamento das bolsas de países além-mar.

Von Hohenesch gostava de se expressar de um jeito meio antiquado. Aquilo conferia um certo charme à racionalidade das finanças.

— Da próxima vez vou mostrar o jardim, ok? A você e ao sr. Kollhoff. Faz muito tempo que quero fazer isso.

Carl não chorava facilmente. Da última vez que isso acontecera, ele tinha catorze anos e estava apaixonado. No intervalo da escola, a menina em questão lera em voz alta para as amigas a declaração de amor que ele escrevera, em um papel cheirando ao perfume caro de sua mãe, antes de jogá-la no lixo. Carl esquecera o nome dela, mas, desde então, os olhos haviam desaprendido a chorar de tristeza. Naquele momento, ele sentiu apenas uma leve coceirinha no canto do olho.

Mister Darcy levou os dois até a porta, onde se despediram educadamente. Carl passou um bom tempo observando Schascha, que tentava se equilibrar em um pé só.

Quando enfim conseguiu se equilibrar, ela disse:

— Já sei o que você vai dizer. Que eu não devia ter entrado correndo na casa, e você tem razão.

Carl assentiu.

— E sei também que vai me dizer que adoraria me pegar pela orelha e me arrastar até o meu pai — disse ela, erguendo o dedinho com uma expressão ameaçadora. — E que eu nunca, nunca mais, vou poder vir com você.

Carl não assentiu.

— Mas, como o cliente foi muito simpático e convidou a gente a voltar, você não pode fazer isso. Parece que foi bom eu ter entrado correndo na casa, mesmo que isso tenha sido errado, e agora você já não sabe o que dizer. Sei que tem duas vozes falando dentro da sua cabeça, e você não sabe qual é a certa. Então, vou fazer uma proposta: você deixa eu continuar indo junto e prometo me comportar. Aprendi com o meu erro. Acho que mereço uma recompensa por isso, não acha?

— Vejo que tem tudo muito bem pensado, não é?

— Ah, tive toda a ideia enquanto andávamos por aquele corredor comprido.

— Preciso continuar a rota — disse Carl, e seguiu o caminho, meneando a cabeça. — Os outros livros na mochila também precisam chegar aos donos.

— E eu? — perguntou Schascha. — Não sei como ir daqui para casa.

— Você pensou nisso no corredor também?

— Aham — respondeu ela, orgulhosa. — Para o caso de os outros argumentos não serem suficientes.

Schascha sorriu, como se fosse a criatura mais inocente do mundo. Carl respirou fundo.

— Mas você nunca mais vai entrar correndo na casa de ninguém, por maior que seja a curiosidade, combinado?

— Não, não vou.

— Promete?

Schascha se aproximou e estendeu a mão, que Carl aceitou.

— Prometo, palavra de honra — disse ela, sacudindo as mãos unidas dos dois a cada palavra.

Com isso, selaram um acordo.

Em seguida, foram a um antigo convento, onde vivia uma freira que nunca saía de lá. Depois de 519 anos, o Vaticano determinara a dissolução da Ordem das Beneditinas, mas, ainda assim, aquela freira não quisera deixar o lugar, que considerava seu lar.

Quando Maria Hildegard nasceu, ninguém imaginaria que um dia a menina fosse parar em um convento. O pai era biólogo molecular e a mãe, astrofísica. Duas pessoas que acreditavam firmemente na ciência. Para eles, só o que podia ser explicado com números tinha valor. Deus nunca havia entrado naquela casa.

Já no jardim de infância, porém, a filha avisara que não se tornaria princesa nem astrobióloga (o sonho secreto dos pais), mas freira. Os pais riam, achavam que era só uma fase. Os dois queriam netos e falavam muito disso. À medida que Maria crescia, a ideia crescia com ela. Era um desejo difuso, impalpável como uma nuvem a qual o vento vai dando forma. Mas embora esteja em constante mudança, a nuvem nunca deixa de ser nuvem.

Após terminar os estudos, a jovem passou um mês e meio no Zimbábue trabalhando com crianças órfãs. Por acaso, o projeto era dirigido por freiras beneditinas, e ali, entre elas, a vida da futura irmã Maria Hildegard se encheu de paz. À noite, ela lia o Novo Testamento — não como fazia na escola, um dever de casa obrigatório a ser terminado antes da próxima aula, mas por vontade própria, aos poucos, sempre à medida que era capaz de absorver o conteúdo. Foi quando aquele jovem chamado Jesus lhe disse que havia um caminho a seguir a seu lado. A experiência fez Maria querer ingressar na Ordem das Beneditinas, onde, pela primeira vez na vida, sentiu que havia encontrado seu lugar no mundo. Chegar no convento foi como voltar para casa depois de muito tempo acreditando não ter casa alguma.

Irmã Maria Hildegard não queria abandonar aquele lugar tão especial, porque em lugar nenhum do mundo exterior se sentia tão bem quanto dentro daquelas paredes. A arquidiocese, no entanto, já expedira a ordem de despejo, seguida do corte da luz, da água e da calefação, e até mesmo ameaçava cobrar multa. De acordo com uma antiga lei da Igreja, no entanto, não poderia ser despejada à força. Só poderia ser barrada ao voltar caso saísse.

Embora não soubesse se estava ou não sendo vigiada, não queria correr riscos. Carl levava romances policiais para ela. A cada visita, levava também provisões básicas e um maço de velas, embora nunca tenham falado a respeito do assunto. Outros vizinhos também levavam suprimentos para a irmã Maria Hildegard, esperando que Deus não lhes levasse a mal.

Carl não sabia sobre a pequena horta no pátio interno do convento na qual a irmã trabalhava, nem sobre o poço, que a abastecia de água potável. Assim, não entendia por que ela sempre falava com tanta propriedade a respeito da meteorologia; falava porque aquilo era muito importante para seu cultivo. A irmã o fazia lembrar de Narciso, o piedoso monge de *Narciso e Goldmund*, de Hermann Hesse. O apelido que lhe dera, no entanto, era o nome botânico da respectiva flor: Amarílis.

Schascha achou interessantíssimo conhecer uma freira. Quis saber dela se era verdade que se alimentavam exclusivamente das hóstias da comunhão, se por baixo da touca tinham cabelos e de que tamanho, se usavam um pijama especial. Evitou perguntar se tudo precisava ser lavado com água benta. Em compensação, uma pergunta muito mais importante coçava na ponta da língua:

— É verdade que as freiras não podem se casar?

— Eu já sou casada.

— Ué, e Deus sabe disso?

Amarílis riu.

— Sou casada com Deus.

— Uau, seu marido mora bem longe.

— Você acha? Mas o céu está logo ali acima de nós...

— Eu sei, mas você não sabe voar — disse a menina, mas, olhando para o hábito de Amarílis, considerou: — Ou sabe?

— Ainda não tentei.

— Pois deveria, ora essa. Se você é casada com Deus, com certeza ele vai querer você por perto.

— Todas as freiras são casadas com Deus.

Schascha inclinou a cabeça, intrigada.

— Mas achei que cada marido só pudesse ter uma esposa e... — disse, e logo emendou: — Bem, mas se ele é Deus, não precisa seguir as regras, é claro.

Irmã Amarílis ficou sem resposta, e Carl aproveitou para se despedir rapidamente, fingindo ter achado aquele diálogo dos mais corriqueiros.

O próximo livro, embrulhado com o máximo esmero, seria entregue a Doutor Fausto, que se apresentava como professor emérito, embora nunca tivesse posto os pés em uma universidade. Não por falta de inteligência, mas porque os pais não tiveram dinheiro para custear sua formação. Assim, ele seguira os passos do pai e do avô e se tornara condutor de trem. Todos os dias ele precisava escutar reclamações malcriadas sobre falta de pontualidade, descortesia ou incompetência. Seu olhar nervoso dava a impressão de que se sentia sempre perseguido, e tinha muito medo de cachorros, principalmente poodles. No entanto, escondia no fundo do coração o sonho de ter um companheiro leal, um cachorro esperto, fiel e distinto que combinasse com um sábio como ele. Uma contradição que, a despeito de toda a sua inteligência, Doutor Fausto não conseguia resolver.

Para Carl, encontrar um apelido nesse caso fora facílimo. Doutor Fausto gostava de ler tratados históricos para, depois, refutar o maior número possível de questões em incontáveis cartas que enviava aos autores ou às universidades em que lecionavam. Depois, relatava tudo a Carl, em geral totalmente fora de contexto. Suas explicações iam se ramificando, como rios com muitos afluentes, até que em algum momento ele encerrava, assentindo e fechando a porta.

Daquela vez, a sra. Píppi Meialonga encontrara um erro de digitação especialmente insano para apontar a Carl ("matemáticacas").

Entre uma entrega e outra, Carl sempre se sentia em harmonia consigo mesmo e com o mundo. Não refletia muito, sequer sobre o caminho a percorrer. Quem se encarregava disso eram seus pés. Naquele dia, porém, foi diferente. Schascha mal conversava, mas continuava ali, caminhando a seu lado, e isso mudava tudo.

E por quê?, perguntou-se Carl. Então, fez a pergunta em voz alta para Schascha.

— Por que você não está por aí brincando? As crianças não fazem mais isso hoje em dia?

— É claro que fazem.

— E você?

— Eu também.

— Mas não agora?

— Não agora.

— Você não tem amigos?

— Tenho.

Carl conhecia aquele jeito monossilábico, sempre presente quando tentava conversar com os estagiários. Nem uma palavra a mais do que o necessário! Talvez estivessem poupando energia para outras coisas.

— Quem são eles?

— Alex, Leila, Simone, Anna, Eva Lina e Tim. Não, a Eva Lina não é minha amiga, ela ficou chata e arrogante. Posso entregar o próximo livro?

Carl amava o momento de entregar os livros embrulhados como se fossem presentes. Ele se sentia um pouquinho — bem pouquinho, é claro, e jamais admitiria — como Papai Noel.

— Não, não pode.

— Por favor! Só uma vez.

— Lamento.

— Porfavorporfavorporfavor!

— Uma próxima vez, quem sabe, mas não para Effi Briest. Era a última entrega naquele dia.

— Mas eu quero entregar agora. Depois disso eu não vou mais encher o saco, prometo.

— Isso é chantagem.

— Eu sei. Está funcionando?

A casa de Effi Briest assomou à frente deles, e Carl, mais uma vez, fez que não com a cabeça.

— Não. Mas você pode tocar a campainha.

— Não é a mesma coisa!

— Mas tocar a campainha produz um lindo som, diferentemente da entrega do livro.

De fato. A campainha tocava a melodia do Big Ben.

Em pouco tempo Effi abriu a porta, um pouco ofegante.

— Olá, sr. Kollhoff.

Ela avistou Schascha.

— Veio com sua neta hoje?

— Não sou neta dele. Me chamo Schascha e estou ajudando. A gente deve sempre ajudar os velhinhos.

Todos os dias Carl se sentia velho, mas ele nunca se sentira tão idoso quanto naquele momento. Era como se Schascha tivesse colado uma etiqueta nele, na qual se lia "Não consegue fazer nada sozinho".

— Eu adoro crianças — disse Effi.

— Você tem filhos?

Para Schascha, era uma pergunta simples que podia ser respondida com "sim" ou "não", mas, para Andrea Cremmen, a resposta não se resumia nem a uma palavra nem a um livro, mas a uma biblioteca inteira.

— Ainda não — disse.

Carl tirou a mochila das costas e abriu-a para tirar o último livro do dia.

— Posso entregar? — perguntou Schascha, com uma vozinha doce.

— Deixe a menina entregar o livro. Pelo visto, é importante para ela.

Carl hesitou. Se não entregasse o livro ele próprio, não estaria executando a tarefa completa pela primeira vez em décadas. As coisas estavam mudando rápido demais para ele. Carl teve a impressão de que os músculos das mãos se recusavam a obedecer. Só percorreram metade do caminho até as pequenas mãozinhas de Schascha.

Por fim, ela pegou o embrulho das mãos dele e o passou para Effi sem cerimônia.

— Anda, abre! Eu sempre rasgo o papel de presente bem rápido para ver o que é! — disse a menina, rindo. — Eu também quero ver o que tem dentro do seu.

O livro era *A filha da rosa negra*, a continuação do *best-seller* de Sophie Heeger. Segundo o texto na orelha, a história da jovem e talentosa jardineira criada em um orfanato cruel era ainda mais dramática.

Schascha observou a mulher na capa. Cabisbaixa, ela atravessava um pântano em meio a uma tempestade.

— Parece tão triste — disse a menina.

Effi folheou o livro.

— É triste mesmo, mas muito verdadeiro. Seja como for, estou louca para ler — disse, e então olhou para Schascha. — Você vai voltar a trazer livros pra mim?

— Lógico! — disse Schascha. — Bem, se ele deixar.

— Ele vai deixar, não vai? — perguntou Effi a Carl.

— Veremos — respondeu ele, sorrindo.

— No caso do sr. Kollhoff, isso significa "sim" — disse Effi a Schascha.

Embora não quisesse admitir, Effi suspeitava se tratar de um "não". Mas, enquanto uma coisa não é falada claramente, existe uma margem para interpretação e, naquele momento, tinha de ser aproveitada.

Despediram-se, e Carl precisou aceitar a próxima mudança em sua rotina, pois precisaria levar Schascha de volta à praça da Catedral. Sem poder voltar direto para casa, teria menos tempo para ler; por conseguinte, leria menos páginas, demoraria mais para terminar o livro e, por fim, só começaria o próximo depois do previsto. Em uma vida milimetricamente calculada, o menor grão de poeira desestruturava a engrenagem.

— Achei ela simpática — disse Schascha, que agora resolvera andar de ré. — Mas alguma coisa nela não parece certa.

— Eu sei.

— Ela folheou o livro de um jeito muito estranho, você reparou?

— Como assim?

— Não sei explicar. Vou ter que prestar mais atenção da próxima vez. Foi diferente, não foi normal.

— Effi é estranha.

Schascha começou a saltitar.

— Por que você a chama por esse nome? E ao outro rapaz de Mister Darcy? Os nomes nas placas das casas são diferentes.

— Esses são os nomes que eu inventei para eles, que me parecem mais adequados. Pessoas que gostam de ler merecem o nome de um protagonista de romance.

— Eu também mereço?

— Você lê muito?

— O suficiente!

— E que nome você se daria?

— Perguntei primeiro.

Carl refletiu.

— Você está mentindo.

Schascha riu.

— Ok, verdade. Mas amanhã você vai ter que me dar um apelido, tá bom? Tchau, Passeador de Livros!

E saiu correndo.

Carl resolveu comprar um vinho para acalmar um pouco os nervos. Assim como um carro velho precisa ser lubrificado com óleo, ele precisava de vinho. Escolhia sempre um Silvaner, de preferência da região da Francônia, pelo sabor e pelo aroma de pera e marmelo, mas também pelo formato especial da garrafa muito característico. Comprou logo duas garrafas. Afinal, era bem provável que Schascha aparecesse de novo no dia seguinte.

Naquela manhã, Carl resolveu visitar Gustav Gruber, seu antigo chefe, na casa de repouso Münsterblick. Embora o nome significasse "vista da catedral", ela só poderia ser vista de lá se a pessoa fosse até o telhado e desse um pulo de três metros.

Carl costumava visitar Gustav entre o café da manhã e o almoço, para evitar incomodá-lo durante as refeições. Ali, o tempo não era medido em horas, mas em refeições. À tarde havia o lanche, depois, o jantar, e, por último, um chá com biscoitos antes de dormir.

O cabelo outrora louro-claro de Gustav tornou-se ainda mais claro com o tempo. Sua intensidade parecia zombar dos últimos fios das sobrancelhas e do cinza da barba por fazer. Gustav parecia um palhaço sem maquiagem, mas até mesmo as rugas deixavam entrever seu humor e sua inteligência. Ainda que a ironia em seus olhos estivesse um pouco exaurida, ele ainda era capaz de boas tiradas.

Deitado na cama, Gustav segurava um livro sem sobrecapa. Já quase não conseguia segurar os exemplares mais pesados, mas detestava livros de bolso, porque, para ele, somente uma capa dura era capaz de proteger as palavras, tão preciosas. E agora que ele próprio se sentia muito indefeso, como se todos os dias o tempo e a morte o roessem um pouco mais, Gustav queria ao menos ter certeza de que as palavras, suas companheiras breves, estivessem seguras.

Gustav escondeu o livro sob o lençol quando Carl entrou.

— Você está com um aspecto bem melhor, Gustav.

— Você já mentiu melhor, hein? Não estou nada. Se eu fosse uma casa, a retroescavadeira já estaria a postos.

Carl apontou para o lençol.

— Toda vez que eu venho você faz isso!

— O quê? Ficar com aspecto ruim? Ora, já tenho prática!

— Não, esconder o livro que está lendo.

— Bem, devo ter meus motivos, não acha?

— E você acha que eu fico chocado em saber que um homem da sua idade lê pornografia?

Gustav riu, o que ocasionou um acesso de tosse. Desde que aquilo começara a acontecer, ele tentava evitar rir; por isso, não lia, não escutava — nem assistia — mais nada muito engraçado. Descartava imediatamente as páginas de humor no jornal. Essa medida, por um lado, diminuíra as tosses intensas, mas, por outro, as risadas faziam falta aos pulmões, pois ajudam na circulação do sangue. Faziam falta ao coração também.

— Sou velho demais — disse Gustav, quando conseguiu recuperar o fôlego. — Eu já nem seria mais capaz de entender livros assim. O erotismo virou grego. Eu até conseguiria identificar o alfabeto, mas não o significado.

— Então por que você esconde os livros sempre que chego? Carl sentou-se ao lado da cama e segurou a mão dele.

— Quer mesmo saber o que estou lendo? — perguntou Gustav ao amigo.

— Claro.

— Você vai rir.

— Prometo que não.

Gustav tirou o livro de baixo do lençol e mostrou-o a Carl. Era *A ilha do tesouro*, de Robert Louis Stevenson. Carl alisou a bela encadernação em capa dura.

— Estou relendo os livros da minha juventude. Romances de aventura, muito Karl May. Embora eu agora perceba que muitos não são tão maravilhosos quanto eram na minha memória, eles fazem com que me sinta em casa.

— E por que ter vergonha disso, seu velho paspalho?

— As enfermeiras acham que sou um intelectual, acredita? Logo eu! Elas me chamam de professor porque sou livreiro. Quer dizer, fui...

— Mas você *é* um intelectual.

— Ler muito não faz da pessoa um intelectual, assim como comer muito não faz da pessoa um *gourmand*. Leio para o meu prazer egoísta, por amor às boas histórias, e não para compreender o mundo.

— Não se deveria resistir a isso. Até mesmo uma cabeça velha como a sua armazena muitas coisas.

Gustav apontou com o indicador para *A ilha do tesouro*.

— Foram meus pais que me deram esses livros. Você sabe que eles também eram livreiros.

— A dinastia Gruber.

— Isso mesmo! Em algumas famílias, o amor se demonstra pela comida. Um pãozinho com uma camada generosa de manteiga, ou algumas fatias de frios a mais no recheio do sanduíche. Outras se abraçam com frequência, com o calor humano se opondo à frieza do mundo. Na minha, essa linguagem sempre foram os livros, independentemente do tema. Durante a alfabetização eu tinha muita dificuldade para decifrar as frases, a pronúncia era vacilante, desajeitada.

Ele riu e tossiu de novo.

— Na época, meu pai me deu um exemplar de *Os Buddenbrooks*, de Thomas Mann, imagine só! Centenas de páginas com frases longuíssimas. Eram frases maravilhosas, é claro, pareciam forjadas a ouro, mas eram longas de dar medo. Um ano depois se seguiu *Guerra e paz*, de Tolstói, e, quando fiz dez anos, minha mãe me deu *Em busca do tempo perdido*, de Marcel Proust, embora eu não tivesse perdido tempo algum até então. Para meus pais, não existiam livros infantis ou adultos, só livros bons ou ruins, e eles me davam os melhores, assim como algumas pessoas presenteiam com diamantes, que duram a vida inteira.

Gustav sorriu.

— Dei uma de palestrante de novo?

— Como sempre, desde que te conheço. Mas gosto muito dessa sua característica.

— Que mentira! — disse Gustav dando um soquinho bem de leve no braço de Carl. — Mas nunca deixe de contar essa mentira, certo?

— Um dia desses vi um livro que me fez lembrar de você.

— Por acaso o protagonista era um consumado mulherengo que, mesmo velho, não parava de olhar para qualquer rabo de saia que passasse na frente dele? — perguntou Gustav, e um pequeno brilho de sorriso iluminou seus olhos cansados.

— Era sobre um velho livreiro que visitou todos os lugares sobre os quais já tinha lido.

Gustav se ajeitou na cama com certo esforço e apontou para o próprio corpo esquálido.

— Ora, e por acaso pareço alguém capaz de fazer viagens longas? Cada ida ao banheiro é como ir ao polo Sul — disse ele, com um sorriso caloroso e compreensivo. — Vejo que você nunca deixará de ser livreiro, não é, Carl? Nunca pergunta como estou, só me dá dicas de livros.

— Aprendi com você.

Carl devolveu *A ilha do tesouro* a Gustav.

— Quem sabe o romance de Stevenson não ajudaria nosso novo estagiário a finalmente aprender a gostar de ler.

— Sabine me falou sobre ele. Chama-se Leon, certo?

— Você já teria encontrado um livro adequado para ele há muito tempo. Nessas horas eu vejo a falta que você faz.

Gustav fez um gesto com a mão.

— Logo, logo Sabine vai saber fazer isso melhor do que eu.

De repente, Carl se sentiu desconfortável na cadeira. Deslizou um pouco o corpo tentando, em vão, encontrar uma posição mais cômoda.

— O assunto te desagrada, não é? Você é mesmo um velho paspalho, Carl — disse Gustav, sorrindo. — Sei que não acredita, mas Sabine gosta muito de você, mesmo que não saiba demonstrar muito bem.

— Sim, eu também gosto dela. Afinal, é sua filha.

— E sua chefe.

— Sim, sou obrigado a gostar dela por contrato.

— Entenda, Carl, Sabine só quer renovar as coisas, melhorar a livraria. É a prerrogativa da juventude. Além disso, ela precisa se afirmar perante a equipe. Não pode demonstrar fraqueza na posição de chefe — disse Gustav, alisando a coberta; então, se inclinou e abaixou um pouco o tom da voz para acrescentar:

— Ela me prometeu que você vai poder continuar entregando livros enquanto quiser.

— Obrigado.

Carl não olhou para Gustav porque não queria demonstrar quanto significava, para ele, poder continuar entregando seus livros. Embora Gustav certamente já soubesse disso.

— Ela sempre teve ciúmes de você — continuou Gustav — porque você é um livreiro nato e ela, não.

Mas Gustav estava enganado. Sabine sempre julgara superiores seus métodos mais modernos. E também sempre soubera quanto o pai gostava de Carl. De fato, ela invejava a capacidade de Carl, porém, ainda mais o afeto que o pai nutria por ele.

— As pessoas confiam em você — disse Gustav. — O que é o mais importante para um livreiro. Quando você recomenda uma leitura, as pessoas não torcem para gostar: elas têm *certeza* de que vão gostar. E se por acaso não gostam, atribuem a culpa a elas mesmas, nunca a você.

Gustav piscou para Carl.

— Na verdade, eu é que vim para te animar, não o contrário — disse Carl.

— Bem, como sei fazer isso melhor do que você, aqui estou — retrucou Gustav.

Carl achou que aquele era um bom momento para o pequeno jogo que faziam às vezes. O tema mudava a cada vez.

— Diga aí, quais são os cinco melhores livros para animar uma pessoa?

Cada um enumerou a sua lista. Falaram sobre os prós e os contras de cada livro, sobre os respectivos autores e autoras. Em seguida, conversaram sobre os melhores livros com personagens internados em casas de repouso (foi bem mais difícil, mas conseguiram). Carl disse a Gustav que ele precisava voltar à livraria, mesmo que por poucas horas na semana. Gustav caiu na gargalhada até ficar sem ar.

— Isso nunca mais vai acontecer, você sabe — disse Gustav.

— Não diga uma coisa dessas.

— Eu e você somos dois gramofones, Carl. Nossa época passou. A gente até não percebe enquanto estamos funcionando, mas não existem mais peças de reposição para modelos antigos como nós.

— Você está parecendo um daqueles cartões com citações engraçadinhas.

— E esse nem foi dos piores! — disse Gustav, respirando com dificuldade. — Agora preciso dormir, para manter a pele jovem.

Gustav hesitou por um momento, e uma expressão de dor surgiu em seu rosto. Havia chegado o momento da conversa que sempre se repetia. Ele respirou fundo e perguntou com voz trêmula:

— Você vai voltar semana que vem?

— É claro.

— Que bom escutar isso.

— Ainda virei visitá-lo durante alguns aninhos, você sabe.

Gustav assentiu e virou a cabeça.

— Se cuide, chefe — disse Carl, acariciando o bracinho magro de Gustav.

— Se cuide, meu estagiário.

Capítulo 3

O vermelho e o negro

O artigo de jornal emoldurado sobre Carl sumira da parede da livraria, e a marca do retângulo no papel de parede atestava a perda. À guisa de cumprimento, Sabine suspirou fundo e disse a Carl:

— Carl, estão encomendando cada vez menos livros para você entregar.

— Mas eu nem cobro muito pelas entregas...

— Mas e quanto ao custo logístico, sr. Kollhoff? — perguntou ela, erguendo as sobrancelhas tão alto que quase tocaram a linha do cabelo. — É muito tempo gasto para tão poucos livros. Hoje em dia, a logística é totalmente diferente.

— Mas os clientes ficam tão felizes...

Enquanto falava, Carl lembrou das expressões gratas e sorridentes de cada um.

— Os clientes ficariam mais felizes se caminhassem um pouquinho para vir até aqui. Exercícios e ar fresco são sempre bons, não acha? Sendo assim, não vamos mais anunciar esse serviço personalizado. A partir de hoje não faremos mais essa comunicação aos nossos clientes, combinado, sr. Kollhoff?

Carl conhecia Sabine desde bebê. Ela costumava se sentar em seu colo enquanto ele lia um livro atrás do outro para ela, ou brincavam de "upa, cavalinho" para fazê-la rir. Ela o chamava de tio Carl. Sabine era uma das pouquíssimas crianças de quem Carl havia gostado. Adulta, porém, ao assumir a gerência da livraria, o chamara para informar que, a partir daquele momento, os dois deveriam se tratar com toda a formalidade devida, de acordo com as regras do jogo. Regras com as quais Carl não concordava.

Então, Carl apenas respondeu:

— A senhora é quem manda.

Dito isso, o livreiro foi até o escritório para embrulhar seus livros. Os demais funcionários olharam para ele com compaixão. Afinal, Carl lhes ensinara tudo. Mas ninguém se atreveu a fazer qualquer comentário: permaneceram todos em silêncio.

Fome de bola, de Nick Hornby, continuava intocado sobre a mesa, e Leon continuava sentado no chão, sem ler.

Em silêncio, Carl colocou os livros na mochila. Naquele dia havia uma entrega para Hércules também; então, a ronda seria mais longa.

Quando se aproximou da praça da Catedral, Carl desacelerou e procurou pelos cachinhos escuros dos quais precisava se esquivar. Não estava no clima para uma acompanhante lhe fazendo todo tipo de perguntas erradas — ou, pior ainda, de perguntas certas.

Relutantemente, optou por outra rota. Foi caminhando por baixo das marquises, perto das lojas, desviando de mesas e cadeiras nas quais as pessoas comiam e bebiam. Ali teria menos chance de ser descoberto por Schascha. Carl considerou até mesmo tirar o chapéu, mas logo desistiu da ideia.

Faltavam poucos passos para entrar na rua Beethoven.

— Você nunca passa por aqui — disse de repente uma vozinha ao lado. — Quase não te vi.

Incrédulo, Carl parou e observou a menina.

— Gostou? — perguntou ela, dando um giro completo. — Hoje resolvi não vir de vermelho-amarelo-azul, embora sejam minhas cores preferidas.

Schascha estava vestida com uma calça jeans verde-oliva, uma camiseta verde-sapo e uma capa de chuva verde-clara, e também carregava uma mochila. A roupa, fruto de empréstimos de amigos, a deixara parecida com o próprio Carl. O livreiro, que havia pensado em dizer que dispensava a companhia, se viu desarmado.

— As meninas da sua idade não preferem usar cor-de-rosa?

— Eu tenho quase dez anos!

— Desculpe.

— Gosto de estampa de bolinhas, mas detesto quadriculados ou retângulos. Não gosto de nada que tenha linhas retas.

— Suas roupas não têm bolinhas.

Schascha levantou um pouco a barra da calça, deixando à mostra as meias de bolinhas.

— É a minha marca registrada. E as suas meias, como são? Me mostra.

— Não são de bolinhas — disse ele, sem querer mostrá-las.

— Imaginei. Você não é mesmo do tipo que usaria bolinhas.

— E como é esse tipo?

— Certamente não como você. Acredite em mim, eu entendo do assunto. Bem, agora vamos indo? Tenho planos!

Carl nem se mexeu.

— Planos? Pode ir me contando desde já. Por acaso está pretendendo entrar correndo de novo na casa de alguém?

— Não, não é nada de ruim. Prometo. Palavra de honra. Mas só vou contar depois que tiver feito.

— Mas...

— Estou fazendo isso por você. Ok, não *só* por você, mas principalmente — disse ela, e então olhou para ele. — Na verdade, tenho dois grandes planos. O segundo eu até posso contar. Na verdade, acho que eu *devo* contar.

— Estou morrendo de curiosidade.

Na verdade, Carl queria dizer "preocupação", mas achou melhor ser educado mesmo se sentindo bastante ansioso.

— Ontem à noite, antes de dormir, eu tive uma ideia. Eu sempre fico imaginando algumas coisas nessa hora, quando já está tudo apagado. Tudo menos as estrelinhas coladas no teto do meu quarto, claro. Então, ontem eu pensei que não tem como você me dar um bom nome de protagonista de livro porque você mal me conhece. Por isso, hoje vou falar bastante sobre mim. Ou seja, vou te contar tudo.

E, com isso, Schascha desatou a falar na mesma hora. Começou com seu nascimento (duas horas de trabalho de parto, nasceu cabeluda), e foi do jardim de infância (o mascote da turma dela era uma foca, o gancho para pendurar o casaquinho era em formato de avião) até a escola (turma A, a melhor de todas, embora, infelizmente, a sra. Schild não fosse a melhor das professoras). Schascha contou que não era do grupo das meninas populares, muito pelo contrário. Na aula de Educação Física, sempre era a última a ser escolhida, ninguém queria estar no mesmo grupo de estudos que ela, e, no recreio, Schascha ficava sozinha, sentada no chão em frente ao inspetor, enquanto todas brincavam de pega-pega ou ficavam penduradas de cabeça para baixo no trepa-trepa.

Schascha havia deixado claro algumas vezes quanto gostava de ler, e isso a tornara alvo de gozações. Apelidaram-na de rata de biblioteca, e chegaram até a desenhar um rato com marcador permanente em sua carteira. Até Simon — um garoto parecido com o Ron Weasley, que só se interessava por joguinhos de computador e achava as meninas chatas — implicava com ela. Mas, mesmo assim, Schascha não achava Simon chato. Não sabia bem o motivo, nem como lidar com aquele sentimento esquisito.

Carl e Schascha pararam diante do belo edifício residencial onde Hércules, o primeiro cliente do dia, morava.

Mas antes que Carl tocasse a campainha ao lado da plaquinha em que se lia Mike Tröffer, Schascha disse:

— Peraí.

Então, tirou da mochila um diário enorme, com desenho de unicórnios e arco-íris e fechado com um cadeadozinho dourado. Carl sabia que os livros eram capazes de salvar o mundo. O que ele não sabia — e que pouca gente sabe — é que isso também vale para os diários dos adolescentes. Ali, eles registravam suas amizades, suas cores e comidas favoritas, todo tipo de preferências. Ainda que fosse pequeno o mundinho que um diário poderia salvar, esse mundo era tudo para quem nele vivia.

— Nada de entrar correndo na casa dele, ok? — alertou Carl.
— Seja como for, ele certamente vai nos convidar para tomar um chá na cozinha.

— Já prometi que não vou mais entrar correndo na casa de ninguém. Só fiz isso com Mister Darcy, e até que foi bom.

— Você sempre precisa dar a última palavra?

— Bem, mas nesse caso eu tenho ou não tenho razão?

Nesse instante, a porta de entrada do prédio se abriu. No segundo andar, um homem forte os aguardava à porta do apartamento, vestindo uma camiseta preta que deixava entrever seus músculos bem definidos.

— Olá, sr. Kollhoff, entre. Vou preparar um Earl Grey.

Schascha olhou para Carl e sussurrou:

— Você gosta desse chá esquisito?

— Não, mas seria falta de educação recusar — sussurrou ele de volta.

— Mas assim você sempre vai ter de tomar um chá de que não gosta.

— Vale pela hospitalidade.

Hércules estendeu a mão a Carl e depois a Schascha, que sentiu medo quando aquela mãozorra se fechou em volta da sua mãozinha. Foi um aperto suave, no entanto.

— Oi, eu sou o Mike. E você?

— Sou a Schascha.

— Também aceita um Earl Grey?

— Não, não gosto.

Hércules foi seguindo na direção da cozinha.

— Água? Leite?

— Pode ser.

Schascha observava seu entorno, curiosa. Nunca vira um apartamento como aquele. As paredes brancas estavam repletas de textos guarnecidos em molduras prateadas. Alguns tinham sido escritos a máquina; outros, manuscritos com caligrafia tão cheia de floreios que era quase impossível decifrar. Alguns estavam agrupados em formato de coração; outros, no formato de uma igreja.

A cozinha — arrumadíssima e limpa, como se tivesse acabado de ser montada — também era toda em branco e prata. Schascha pediu para ir ao banheiro, e Hércules indicou o caminho. Quando voltou, um copo de água gelada estava à espera dela e Carl tinha diante de si uma xícara de chá fumegante. Hércules não bebia nada.

— Antes de beber, deixe-me entregar seu livro — disse Carl, tirando-o da mochila.

Hércules abriu o pacote com muito mais cuidado do que todos os clientes anteriores. Seus gestos tinham devoção, eram quase solenes. Schascha fez uma anotação em seu diário.

— É a edição rara que o senhor havia encomendado — disse Carl.

Ele conseguira encontrar o livro em um antiquário, mas seguia sem entender por que Hércules encomendara um exemplar tão difícil.

Schascha esticou a cabeça para ler o título.

— *Os sofrimentos do jovem Werther*. Isso tem a ver com...?

— Não — disse Carl.

— Você nem sabe o que eu ia perguntar.

— Sei, sim, pode acreditar. Escutei essa pergunta tantas vezes que não sei se ainda consigo achar graça.

— Não tinha nada de engraçado na pergunta que eu ia fazer — disse a menina, sorrindo.

— Ótimo, que bom que a gente se entende — disse Carl.

Hércules devolveu o exemplar a Carl.

— Me fale um pouco sobre este livro, sr. Kollhoff.

— Não quero revelar demais...

— Ah, não, por favor. Eu quero saber tudo. Inclusive o final.

A cena que se desenrolava era sempre a mesma, uma espécie de duelo retórico entre os dois. Carl sempre tentava desviar, na esperança de que Hércules mudasse de ideia, mas o cliente sempre insistia naquilo.

— É um romance epistolar, em que o jovem jurista Werther e seu amigo Wilhelm trocam cartas, nas quais o primeiro relata a infelicidade do amor que sente por Lotte, que é noiva de outro homem.

— Como o Werther se apaixona por ela? — perguntou Hércules, franzindo a testa.

— É amor à primeira vista, no momento em que a vê cortando fatias de pão para os irmãos mais novos. Ele fica comovido com a natureza maternal dela. Além disso, Lotte é belíssima.

— Natureza maternal — repetiu Hércules. — E como é o Werther?

— Bem temperamental. Por isso, o romance faz parte de uma corrente literária chamada *Sturm und Drang*, o que significa "tempestade e ímpeto", ou "tumulto e violência"...

— E quanto ao noivo de Lotte?

— Albert, um sujeito conservador e tradicional.

— Sem graça, então — disse Hércules. — E como termina a história? Werther consegue ficar com a Lotte?

Carl se lembrou de como ficara perturbado ao ler o livro pela primeira vez, uma dor que ainda o acompanhava.

— Infelizmente, não. Quando Werther tenta beijá-la, Lotte foge para o quarto ao lado. Ao que ele então resolve se suicidar para não colocar a honra da amada em risco. À meia-noite, na véspera de Natal, ele dá um tiro na cabeça e morre no dia seguinte.

Hércules bate palmas.

— Uau! Que final incrível! E com que arma?

— Com que arma ele se...?

— Isso.

— Não faço a menor ideia do modelo. Só sei que foi uma pistola emprestada por Albert.

— Nossa!

— E a situação piora. Na condição de suicida, Werther não pode ser enterrado como cristão. É a pena máxima, por assim dizer.

— Que horror!

— Tenho certeza de que vai gostar.

Hércules estalou o pescoço.

— Com certeza. Eu adoro ler qualquer coisa. E esse livro é importante, como você disse. Da próxima vez traga algo de um ganhador do Nobel de Literatura, sr. Kollhoff.

Carl olhou para o relógio de pulso. Embora estivesse parado havia mais de vinte anos, lhe agradava a sensação de usá-lo.

— Lamento, mas preciso ir andando — disse ele, entregando o exemplar a Hércules. — Tenho outros clientes esperando ansiosamente pelos livros.

— É claro. Obrigado por sempre reservar um tempinho para mim.

— É um grande prazer, e digo isso de coração. É uma alegria ver alguém empolgado com os clássicos da literatura.

Hércules deu um sorriso que Schascha julgou ser um pouco constrangido, embora ela não tivesse muita experiência com sorrisos em rostos tão musculosos quanto aquele. Quem sabe fossem sempre daquele jeito.

Depois que a porta se fechou, Schascha anotou mais alguma coisa em seu diário. Em seguida, abriu a boca para dizer algo a Carl, mas não conseguiu, porque pela primeira vez ele foi mais rápido.

— Não precisa nem dizer que tem algo estranho ali.

Carl olhou para trás em busca de Canino, que costumava se juntar a ele àquela altura da ronda, mas nem sinal do gato.

— Eu sei que tem alguma coisa, mas não exatamente o quê — completou ele.

— Ele só tem livros vermelhos — disse Schascha.

Carl voltou a caminhar no próprio ritmo.

— Como é?

— Naquela hora em que disse que precisava ir ao banheiro, eu fui até a sala dele.

Schascha ergueu o queixo pequenino, orgulhosa.

— Bastante ousada.

— Foi quando vi os livros dele na estante. Todos têm aquele lado vermelho... O lado contrário à parte que se abre. Como se chama mesmo?

— Lombada.

— Isso. Todas as lombadas eram vermelhas.

— Muito estranho... Embora eu tenha uma cliente que não aceite livros com a capa de uma certa cor.

— Na sala inteira só havia três cores: preto, branco e vermelho. Só os DVDs e os CDs tinham outras cores. Da próxima vez preciso investigar melhor.

— Agora me explica por que você está carregando esse diário?

— É onde anoto tudo sobre os seus clientes.

Schascha abriu o diário, meio desajeitada.

— Tenho ele desde o segundo ano, mas ainda tem muitas páginas em branco.

Muitas meninas da turma de Schascha mantinham diários sem anotações ou, pior ainda, arrancavam suas páginas.

— Aqui em cima é para colar fotos — explicou Schascha —, mas, como não posso pedir fotos aos seus clientes, eu trouxe lápis de cor para desenhar. Mesmo que eu não saiba desenhar muito bem.

Carl deu uma olhada no diário.

— Cor predileta? Banda preferida? Professor preferido?

— Eu mudo essas coisas, é claro — explicou Schascha. — Anoto os livros mais importantes, onde as pessoas moram e como é o cheiro na casa delas. Esse tipo de coisa.

— E como pretende descobrir tudo isso? Vai fazer interrogatórios?

— O que é isso?

Carl refletiu antes de responder.

— É quando você ataca alguém com um monte de perguntas.

— Mas quando a gente faz muitas perguntas é sinal de que a gente se interessa por aquela pessoa. Isso não é educado? Eu, quando quero saber alguma coisa, sou muito educada.

Schascha guardou o diário em sua mochilinha.

— Bem, é preciso dar espaço para que a pessoa também faça perguntas. Aí, em vez de interrogatório, a coisa vira uma conversa.

Schascha não entendeu bem o que Carl quis dizer. Quem pergunta recebe uma resposta e, automaticamente, se dava uma conversa. Pronto.

De repente, Canino apareceu com o rabo erguido e passou por entre as pernas deles. O movimento parecia o de um cavalheiro executando uma daquelas quadrilhas de antigamente, em um grande salão de baile.

Pela primeira vez, Schascha observou que Carl dava algo de comer ao gato. Um pedaço de salsicha sem a pele que ele embrulhara em papel-manteiga.

— Você é tão inteligente, mas é burrice dar salsicha ao gato.

Carl olhou para ela, surpreso.

— Por quê? Ele adora, veja só!

— Assim você não tem como saber se ele está vindo por sua causa ou por causa da salsicha.

— Pelos dois motivos, quem sabe?

— Mas não tem como saber. Eu ficaria chateada. Não gostaria que um bicho só viesse atrás de mim quando quisesse comer.

— Canino não é um bichinho de estimação. É um gato de rua, um espírito livre. Ele vem a mim porque quer. Nem quero saber o motivo. Há coisas que podem muito bem permanecer misteriosas.

Schascha balançou a cabeça.

— Eu prefiro saber.

— Mas Canino prefere assim; então, deixemos que ele fique com o segredinho dele.

Schascha se abaixou para passar a mãozinha no gato, que levantou a cabecinha para ela. Ficou feliz ao constatar que aquele afeto nada tinha a ver com salsichas, mas com a qualidade do carinho que ela sabia dar.

Bem-humorada, a sra. Píppi Meialonga recebeu Carl e Schascha já soltando a expressão "gangue de cagões", e precisou levar a mão à boca para evitar um acesso de riso.

— Com certeza o senhor não tem nenhuma explicação para isso, sr. Kollhoff. Ou, quem sabe, seja justamente a mais óbvia!

Dessa vez, ela calçava sapatos iguais, mas meias de pares diferentes.

Carl coçou a têmpora e sentiu os olhares questionadores da sra. Meialonga, de Schascha e até mesmo de Canino. Quando jovem, Carl lera toda a enciclopédia Meyers, de cabo a rabo, de A a Z. Aquilo influenciara seu cérebro de tal modo que, por toda a vida, ele permanecera uma enciclopédia ambulante.

— "Gangue de cagões" designa um tipo especialmente dramático de criminalidade que existe apenas no México. Por ser muito condimentada, a comida típica do país pode causar graves problemas digestivos. Nos casos em que esvaziar os intestinos se torna impossível, nota-se o surgimento de uma fúria ensandecida. As pessoas acometidas desse mal então correm para as ruas a fim de descarregar a raiva nos verdureiros, principalmente os que vendem feijões. Frequentemente a atividade física acaba gerando o efeito desejado no trato intestinal, e, assim, as gangues de cagões se tornaram uma parte importante da cultura mexicana. Se fala sobre elas em muitas canções e livros, sempre descritas com muito realismo.

A sra. Meialonga fez uma reverência teatral.

— O senhor conseguiu dar a explicação mais absurda possível, impressionante.

— Senhora Meia... — Schascha começou a dizer, mas conseguiu calar a boca a tempo.

— Eu me chamo Dorothea Hillesheim, mas pode me chamar de Thea, é como todos me chamam.

Schascha deixou o diário e o lápis (com borracha na ponta) de prontidão.

— Como a senhora percebe esses erros tipográficos?

— Como assim?

— A maioria das pessoas mal repara. Eu mesma sou uma dessas. Por que a senhora repara neles?

— Ora, você é muito espertinha, não é?

Um sorriso orgulhoso passou pelo rosto de Schascha.

— Sim, claro, eu sei. Às vezes incomoda.

— Ah, é? Quando os outros percebem?

— Agora a senhora está fugindo do assunto, certo?

— Estou vendo que é mais esperta do que eu pensava.

A sra. Meialonga se inclinou para sussurrar ao pé do ouvido de Schascha, mas cochichou tão alto que Carl entendeu cada palavra.

— Fui professora primária a vida inteira. Embora não trabalhe mais, o ofício de professora é algo que a gente não esquece nunca.

Ela se endireitou de novo.

— Como se a profissão tivesse se entranhado em você?

— Dito assim soa um pouco estranho — disse a sra. Meia-longa, fazendo uma careta. — É mais como um anel precioso que você já não consegue tirar do dedo. Às vezes a gente até sente que ele está ali, mas, em geral, nem nos lembramos de que ele existe. Quem nota são os outros.

Involuntariamente, Schascha olhou para as mãos enrugadas da idosa, com os dedos cheios de anéis. Com certeza ela fora professora de muitas matérias.

Enquanto Carl entregava o livro encomendado, Schascha fez anotações no diário. Só voltou a falar quando começaram a caminhar, mas bem baixinho, como se a cliente pudesse escutar pela porta fechada.

— Eu acabei de contar uma mentira. Não sou nada esperta.

— Ora, vamos. Você é esperta, sim. Todo mundo erra, o que não nos torna menos espertos. Aliás, é errando que vamos ficando mais sábios.

— Mas eu erro muito. Talvez até repita de ano.

— Então, precisa estudar mais.

— Eu sei, mas a sensação é de que muitas coisas simplesmente não entram no meu cérebro.

Schascha começou a dar várias batidinhas na testa, até Carl fazê-la parar.

— Existe um truque bem simples.

— É? Qual?

— Ler mais. A leitura deixa o cérebro mais plástico; assim, cabem mais coisas dentro dele.

Schascha refletiu sobre o que Carl dissera, mas, por todos os ângulos que olhava, ainda assim aquilo não fazia sentido. Na verdade, muitas coisas a respeito daquele homem e de seus clientes não faziam sentido para Schascha. Mas isso lhe agradava. Os programas de TV para crianças da idade dela faziam sentido, e isso a entediava muitíssimo. Como se o mundo não tivesse nenhum segredo que só pudesse ser desvendado quando ela fosse adulta.

Ao dobrar a esquina seguinte avistaram a catedral. A partir daquele ponto, a construção parecia especialmente magnífica, com as janelas em rosetas, os doze apóstolos e as duas torres, a inteira e a meia, apontando para o céu.

Carl fez o sinal da cruz virando de lado, para que Schascha não visse.

— Por que você fez isso? — perguntou a menina, a quem o gesto não escapou.

Carl suspirou.

— Faço o sinal da cruz toda vez que vejo a porta principal da catedral.

— Por causa de Deus?

— Não, eu não sou religioso. Prefiro deixar a fé para quem a entende direito. Faço isso mais como uma homenagem ao livro mais poderoso do mundo, que gerou guerra e perdão, enormes injustiças e amores profundos. Quem acredita no poder das palavras, o que é o meu caso, não pode deixar de tirar o chapéu para essa obra. O que é literalmente o que estou fazendo agora. No sentido figurado, é claro — disse ele, levando dois dedos à aba do chapéu. — Este aqui não tiro jamais da cabeça. Questão de segurança, sabe?

— Você é estranho.

— Quem é mais estranho? O homem estranho ou a menina que acompanha o homem estranho?

— O homem estranho, é claro.

Carl sorriu. Ele sabia que era estranho, mas não se sentia assim. Quando se é estranho por muito tempo, a estranheza passa a ser o normal, ainda que só para quem veste a camisa. Carl se dava por satisfeito.

De repente, o livreiro notou algo diferente. Seus passos antiquíssimos, com os quais percorria toda aquela velha cidade, haviam encurtado para que as perninhas de Schascha conseguissem acompanhá-lo.

— Quem vamos visitar agora? — perguntou ela, apertando as alças da mochila.

— Effi. Quer dizer, a sra. Cremmen.

Schascha apontou para uma viela escura onde a luz do dia mal chegava. Era uma relíquia da Idade Média, e a terra pisada durante séculos nunca fora pavimentada com paralelepípedos ou concreto.

— Olha, é um superatalho!

— O caminho mais longo às vezes é melhor do que um curto.

— Por quê?

— Um dia você vai entender — disse Carl.

O tipo de resposta que se dá a uma criança quando não se tem nada melhor a dizer. Mas, como não gostava de ser evasivo, Carl decidiu falar a verdade.

— Essa ruela me dá medo... Sei que sou um velho tonto, mas, não sei por quê, tenho medo de andar por ela. Sempre que passo por aqui me sinto como um cavalo diante de um fosso.

Schascha ficou parada, tirou o diário e fez uma anotação com uma caneta com tinta purpurinada e decorada com fitinhas coloridas. Era a caneta que usava apenas quando estava com Carl.

— Você anotou aí que sou um cavalo?

— Não.

— Ah, então tudo bem.

— Só registrei que você é um medroso.

Carl sorriu. Desde os tempos de escola ninguém nunca mais o chamara assim. De repente, sentiu que estava de volta ao ginásio, diante da barra fixa, sem coragem de subir nela. Carl sempre achara que as crianças têm esse poder de nos fazer enxergar quão velhos somos, mas, talvez, elas também nos mostrem justamente quanto algo em nós sempre permanecerá jovem.

Schascha começou a dar pulinhos em volta de Carl e de Canino, que rosnava, irritado.

— Eu também já sei quem foi Effi Briest.

— Quem é, não quem foi — respondeu Carl.

— Não, quem foi. Ela viveu muito tempo atrás e morreu no livro — disse Schascha.

— Personagens nunca morrem. Basta alguém reler o livro para que sigam vivos.

— Então, eu quero ser personagem.

— Bem, para isso você teria de escrever um livro.

— Está bem, então! — disse Schascha, e saiu correndo. — Oba! Vou virar escritora!

Carl só a reencontrou diante da casa de Effi, sentada na calçada, um pouco sem fôlego.

— Nossa, você demorou.

— Em compensação, vim desfrutando a caminhada. Já tocou a campainha?

— Ainda não, estava esperando você — disse a menina, que então se levantou, tocou a campainha e cochichou para Carl: — Tenho uma surpresa pra você.

Só então Carl se deu conta de que as corridas e os pulinhos eram de ansiedade por conta dessa surpresa. O que o preocupou bastante. Mas, antes que conseguisse perguntar qualquer coisa, Effi abriu a porta.

— Olá, sr. Kollhoff. Olá, Schascha. Estava estendendo roupa, por sorte escutei a campainha.

— Boa tarde, sra. Cremmen. O seu livro é de longe o mais importante de hoje — disse Carl, não como uma queixa, mas como uma forma de aumentar a expectativa da cliente.

Totalmente concentrada naquilo que faria em seguida, Schascha não fez menção de entregar o livro. Em sua imaginação, antecipara o momento com as mesmas cores brilhantes que utilizara para preparar a surpresa. A menina balançava na ponta dos pés, sabendo que seria inapropriado dar pulinhos naquele momento.

Dando de ombros, Carl entregou o livro ele mesmo.

— Esse é bem grandinho, hein? — disse Effi ao pegar o embrulho.

— É mesmo. Junto com cada livro também deveríamos receber tempo para lê-lo com calma, não é mesmo? — disse Carl, sorrindo.

— Se o senhor quiser me trazer uma boa dose disso da próxima vez, vou adorar.

Effi abriu o pacote, *Os anos de peregrinação da rosa negra*, a continuação da série de Sophie Heeger. Schascha achou a capa ainda mais triste do que a dos primeiros volumes. Era como se a editora tivesse tentado condensar o máximo de tristeza possível ali dentro, transformando lágrimas em papel.

Com o coração disparado, Schascha deu um passo à frente.

— Eu trouxe um presente. Não é uma dose de tempo, mas olha só.

Schascha pousou a mochila e tirou um papel enrolado, preso com uma fita dourada e vermelha.

— Aqui, isso é pra senhora.

— Para mim? O que é?

— Abre. Não vou contar.

Carl respirou fundo. Aquela menina era mesmo imprevisível. Parecia tão ingênua, mas naquela cabecinha se passavam muitas coisas importantes...

— Um desenho — disse Effi, com a voz trêmula. — Uma rosa negra...

— Não sei se dá para ver, mas tem uma crescendo bem aqui do lado da sua casa, sra. Cremmen. A sra. Damian diz que não sou boa em artes, mas acontece que ela é uma professora muito rigorosa. É uma injustiça total!

Effi havia virado o rosto porque não queria ser vista chorando. Nos últimos anos, habituara-se tanto a esconder as emoções que fazer isso já se tornara natural para ela. Enxugou as lágrimas com um gesto rápido.

— Entrem, por favor. Vamos encontrar um bom lugar para colocar o desenho.

Era a casa mais alegre que alguém poderia imaginar. Havia vasos com flores e quadros com ramos em flor por todos os cantos. A casa inteira parecia florescer. Evidentemente, tinha sido construída para duas pessoas, mas só uma deixara a sua marca. Havia um livro sobre a mesa, uma xícara na pia, um casaco pendurado na entrada. E embora houvesse vários lugares bonitos para colocar o desenho de Schascha, Effi o pendurou atrás da porta da cozinha, onde só daria para vê-lo se a porta estivesse fechada.

Effi agradeceu e deu chocolate branco para Schascha e Carl, embora ele não gostasse de doces. Ao saírem, Schascha fez várias anotações. Carl se inclinou para perguntar:

— Por acaso você planeja entrar na casa de todos os meus clientes?

— Ora, eu preciso! Para o meu projeto.

E foi exatamente isso que Schascha fez ao longo dos dias seguintes.

Schascha pediu que a sra. Meialonga corrigisse uma redação (em que propositadamente inserira muitos erros curiosos); ao Leitor, disse que seus óculos tinham se quebrado, e pediu que ele lesse para ela o último capítulo de *Jim Knopf e Lucas, o maquinista*, de Michael Ende (ela escolhera o livro porque tinha a ver com fumaça, e porque O Leitor lia para as operárias das fábricas de charutos). À irmã Amarílis, pediu que ouvisse sua confissão (e contou uma história cabeludíssima sobre o roubo de um pacote de bombons, segurando-se para não rir). No caso de Doutor Fausto, foi preciso fazer três tentativas, pois ele dispensou todas as antiguidades que Schascha levara, considerando-as badulaques sem importância. No entanto, o relógio de pulso quebrado do pai dela era, sim, muito antigo, a panela da vovó Ingrid também e a lata de biscoitos, cuja cor da estampa esmaecera totalmente com o tempo, mais ainda. No fim, ele a convidou a entrar para que pudesse lhe mostrar verdadeiras antiguidades, umas moedas romanas sem graça. Mas, com isso, Schascha conseguiu completar a primeira parte de seu grande projeto.

O velho banco de ferro parecia ter sido forjado para conversas importantes. De fato, muita gente se sentara ali para conversar, dialogar verdadeiramente, escutando e tentando compreender-se mutuamente. O banco ficava no cemitério municipal, na parte velha, com seus túmulos magníficos e imensos de tempos passados. Alguns pareciam capelas; outros, templos gregos; e, outros ainda, pareciam conter uma escuridão total por trás de suas grades. Os mortos ali haviam partido muito tempo antes, e os enormes carvalhos, as amoreiras selvagens e as flores do campo semeadas pelo vento pareciam dizer que descansavam em paz.

Foi exatamente esse banco que Schascha escolheu para falar com Carl.

— Precisamos conversar — disse ela ao se acomodar no banco, com expressão muito séria.

Ela abriu o diário como se as páginas fossem de papel grosso e pesado.

— Está tudo aqui.

Carl cruzou as mãos sobre o cabo de madeira de seu guarda-chuva.

— Suas anotações sobre os meus clientes?

Schascha assentiu, grave.

— Eu tive umas ideias muito inteligentes.

— É o melhor tipo de ideia.

Schascha respirou fundo, pois queria fazer um anúncio solene.

— Você precisa levar outro tipo de livros para os seus clientes.

Carl franziu a testa.

— Mas eu levo exatamente os livros que eles encomendam.

— O problema é que eles encomendam os livros errados.

— Mas quem melhor do que eles mesmos para saber o que é bom para eles?

— Rá — riu Schascha, e então, de novo: — Rá!

Parecia um grito de guerra indígena.

— Eu adoraria tomar sorvete todo dia, mas isso é bom para mim? Não é!

— Mas livros não são como sorvete. Não dão dor de barriga.

— Você não está entendendo! — disse Schascha, e teria batido os pés se alcançasse o chão.

— Então você está querendo dizer que os livros que levo fazem mal aos meus clientes? — perguntou Carl.

— Livros são mil vezes mais perigosos do que sorvete. Eles podem estragar a cabeça de uma pessoa. Ou, pior ainda, podem estragar o coração.

Schascha não sabia o que dizer para fazer Carl entender. Seria possível que ele não enxergasse? Afinal, era bem esperto para a idade dele. Schascha bateu com firmeza no diário.

— Está tudo aqui. Seus clientes encomendam livros, mas não tem a ver com livros, na verdade.

— Não?

— Você precisa prestar mais atenção, Passeador de Livros! As pessoas sorriem quando você chega, mas não quando desembrulham os livros. *Você* é muito mais importante para elas do que os exemplares. Talvez no fundo elas saibam que os livros não são os certos para elas. Ou você acha mesmo que Effi precisa de histórias tristes? A vida que ela leva já é triste o bastante!

— É a vida de Effi. São os livros dela.

— Será que não existe um livro capaz de deixar qualquer pessoa feliz? Tipo a Bíblia, só que mais empolgante?

Carl girou o guarda-chuva lentamente, como se fosse um taco de sinuca.

— A Bíblia é muito empolgante.

— Ah, por favor! Você entendeu o que eu disse. Estou falando de um livro que todos amariam ler.

Carl ajeitou o chapéu, pois sua cabeça estava quente.

— Esse livro não existe. Há alguns anos eu também achava que esse livro único existia; então, presenteei todas as pessoas que eram importantes para mim com ele. Era um livro que havia me deixado feliz a cada linha, e quis compartilhar essa alegria. Mas muita gente nem sequer se deu o trabalho de ler, ou então não leu até o fim, ou então não gostou da história.

Carl olhou para Schascha e ficou um pouco triste, pois teve pena de estragar o sonho dela, de estourar sua linda bolha de sabão vermelha, amarela e azul com bolinhas.

— Assim como uma pessoa não pode ser amiga de todo mundo, não existe um livro que agrade a todos, sabe? E, se existisse, seria um ruim. Cada indivíduo é único. Para ser amigo de todo mundo, você precisaria ser alguém sem personalidade, que não entrasse em conflitos. E, ainda assim, nem todo mundo gostaria de você. As pessoas diriam que falta justamente a personalidade, entende? A mesma coisa vale para os livros. Uma história que alguém ama de paixão pode ser completamente sem graça para outra pessoa.

Schascha sorriu, contente.

— Então estamos de acordo. Vamos levar aos clientes os livros que eles precisam ler.

Ela apontou para uma página no diário em que havia desenhado uma mulher chorando, representando Effi.

— Essa aqui, por exemplo, deveria receber livros alegres, que ela leria até o final.

— Como você sabe que ela não faz isso com os livros tristes?

— Depois de abrir os embrulhos ela sempre folheia o livro, mas nunca até o final, e sempre de forma automática. Eu reparei muito bem; por isso que fui até a estante dela para ver os livros que estavam lá. Talvez você não saiba, mas os livros abrem automaticamente na última página lida. Isso é bem prático.

— Entendi. Bom saber disso.

— Todos os livros de Effi se abriram sempre muito antes do final, umas cinquenta páginas antes. Algumas páginas ainda estavam até coladas.

Schascha continuou folheando o diário e apontou para a página seguinte.

— A sra. Meialonga, por exemplo, é bem medrosa. Ela deveria receber livros que a encorajassem e...

— Não — disse Carl.

— Como assim, não?

— Não.

Carl se levantou.

— Mas por quê?

— Não quero tratar ninguém com condescendência. As pessoas são livres para escolher os livros que desejam comprar, e isso é maravilhoso. Em uma vida em que quase tudo nos é imposto, nos resta ao menos o poder de decidir o que queremos ler.

Schascha também se levantou. Estava enfurecida.

— Mas eu refleti muito bem. A partir de agora, você precisa levar os livros certos.

Carl balançou a cabeça.

— Não. De jeito nenhum.

— Ok, então — disse a menina.

Capítulo 4

Grandes esperanças

Carl nem sequer sonhava com o que estava para acontecer, como uma tempestade que ainda está muito longe no horizonte de um mar distante, mas que, inevitavelmente, chegará em alguns dias. Parte disso era porque, embora seus conhecimentos de outros idiomas abarcassem o inglês, o francês, o latim e até um pouco de grego antigo, ele não dominava a linguagem bem mais complexa da juventude. Carl não conhecia os múltiplos significados da palavrinha "ok". Quando Schascha a dissera, Carl entendera: "Que pena, então as pessoas não vão receber os livros que deveriam ler." Mas, na verdade, Schascha quisera dizer: "Tudo bem, essa pode ser a *sua* opinião, mas eu vejo de forma completamente diferente. E, além disso, vou fazer o que me der na telha." Ou seja, a palavrinha "ok" era muito maior por dentro do que por fora.

No dia seguinte, Carl percebeu que a mochila de Schascha estava bem mais volumosa, e as alças pesavam sobre seu casaco amarelo. Sob aquele peso, Schascha andava mais ereta do que de costume.

— Não prefere deixar o material da escola em casa antes? Eu espero aqui — disse Carl.

— Não precisa, está tudo bem.

— Quer que eu ajude a carregar?

— Não, de jeito nenhum! — retrucou ela, e então, buscando um bom argumento para que Carl parasse de fazer perguntas, acrescentou: — Você é velho, eu é que deveria ajudar você a carregar a mochila!

Em seguida, Schascha perguntou quem eram os clientes do dia, algo que ela nunca fizera antes, mas Carl não estranhou.

O primeiro do dia foi Mister Darcy, que os levou ao jardim, pois chovera muito. Ele era alérgico a todo tipo de pólen, razão pela qual só podia permanecer algumas poucas horas ao ar livre, e sempre depois de uma chuva. Não havia ninguém em toda a cidade que desejasse tanto uma chuvarada. Para ele, cada gota de chuva era liberdade em estado líquido.

Inspirando fundo o ar limpo e lavado de chuva, ele mostrou a Carl e Schascha o relógio de flores inspirado no projeto de Carlos Lineu, que permitia saber as horas a partir das flores desabrochadas. Uma delas, a delosperma, florescia entre o meio-dia e as cinco horas da tarde. Outra, *Silene noctiflora*, se abria entre as sete e as oito da noite, e a barba-de-bode era madrugadora, abrindo entre as três da manhã e o meio-dia. Mas havia plantas muito pontuais, como a genciana, cuja florescência abria às nove em ponto, ou então a *Anthericum liliago*, que abria às seis. Mister Darcy pedia ao jardineiro que fosse trocando as flores ao longo do ano, pois algumas só floresciam durante poucas semanas.

Ao lado do relógio de flores havia uma magnífica espreguiçadeira de vime. Não parecia ter sido feita por mãos humanas, mas crescido da terra fértil do jardim, além de ter adquirido uma forma que prometia o máximo conforto.

— Que lugar magnífico é este que você tem para ler!

— Não é meu. Nunca ninguém se sentou ali, acredita?

Carl se aproximou da cadeira e passou a ponta dos dedos no material brilhoso e liso.

— Então seria uma obra de arte?

— Não, ela representa um desejo, um sonho, talvez. A meu ver, e por favor não ria de mim, não existe nada mais bonito do que a visão de uma mulher imersa nas páginas de um livro, absorta a tudo em volta, transportada para outro mundo. Os movimentos das pupilas, a respiração profunda durante uma passagem especialmente dramática, ou o sorriso quando algo engraçado acontece. Adoraria ter uma companheira que pudesse admirar o dia inteiro enquanto lê.

Mister Darcy não pôde evitar rir de si mesmo.

— Seria algo como ler um livro escrito em um idioma que eu não entendo. Quando era estudante, eu tinha uma colega que costumava ler perto de mim. Infelizmente, eu não fazia nem um pouco o tipo dela.

Carl adoraria ter ouvido mais sobre aquela colega especial, assim como sobre o relógio de flores, mas era preciso entregar mais livros. Schascha estava muito calada, mas volta e meia ficava na ponta do pé, inquieta. E isso porque, desde o momento em que tinham tocado a campainha, ela quisera seguir com a ronda.

Mister Darcy ficou levemente chateado com o desinteresse de Schascha; por isso, acompanhou-os de volta à porta, em vez de assistir à abertura da próxima flor, como tinha imaginado fazer. Mesmo tendo as palavras na ponta da língua, a menina esperou até que estivessem bem longe da casa para dizer a Carl:

— Esqueci uma coisa lá, preciso voltar. Vai indo que encontro você no caminho.

Schascha correu de volta, e Carl continuou andando.

Ela tocou a campainha de Mister Darcy. Ao abrir a porta, ele pareceu surpreso.

— Aconteceu alguma coisa?

— Carl esqueceu de entregar este livro aqui. Hoje é aniversário dele — explicou a menina.

— Mas então não sou eu quem deveria dar um presente a ele?

— Ele está fazendo uma idade redonda. E, do lugar de onde ele vem, é o aniversariante quem dá presentes nessas datas.

— De onde ele é?

— Do Panamá — disse Schascha, porque certa vez lera que, naquele país, as pessoas passavam o dia todo andando. — Agora preciso ir!

Quando Schascha voltou, sem fôlego, pensou em como seu plano estava funcionando maravilhosamente bem. E como era bom a mochila estar um pouco menos pesada.

Quando chegaram à casa de Effi, avistaram-na junto a uma janela, o rosto enfiado nas páginas de um livro. Foi a primeira vez que Carl a viu sentada ali, e não pôde deixar de pensar no sonho secreto de Mister Darcy. Um sonho que, é claro, não poderia se aplicar a Effi, que segurava o exemplar volumoso como se fosse um escudo. É claro que é relativamente simples arrancar um livro das mãos de uma pessoa, mas, de certa forma, todo livro é, sim, uma espécie de escudo, que protege o leitor como se realizasse uma atividade sagrada.

A casa estava envolta em penumbra, mas uma pessoa surgiu das sombras atrás de Effi. Era um homem mais velho do que ela, de porte atlético, cabelos brancos cortados bem curtos e traços angulosos. Parecia um soldado, e Carl estremeceu ao pensar em quão acertado fora o apelido que escolhera para Andrea Cremmen.

— Vamos, toque logo essa campainha — disse ele para Schascha.

A menina saiu correndo em direção ao botão ao lado da plaquinha dourada com o nome da proprietária. Carl a acompanhou, sem tirar os olhos da janela. Esperava que Effi se levantasse, e também que o livro que estava levando para ela pudesse blindá-la e lhe abrir um novo caminho. Mas Effi afundou o rosto ainda mais entre as páginas.

A porta se abriu com um tranco. Olhos azuis e frios como aço mediram Carl de cima a baixo, como se o recriminassem por perturbar o sossego.

— Bom dia, sou da livraria e trouxe uma encomenda para a sra. Cremmen.

— Onde assino?

— Preciso falar com ela.

— Ela não está.

Silêncio. Em seguida, Schascha falou:

— Como não está se estou vendo ela daqui? Ela está ali, pertinho da janela.

Schascha apontou para a janela a fim de provar sua afirmação.

— Ela não está. Voltem amanhã.

O homem fechou a porta.

Nesse momento, Effi ergueu o rosto. Só então Carl avistou sua bochecha esquerda, vermelha e inchada.

— Toque a campainha de novo — pediu Schascha.

— Não — disse Carl. — Isso pode piorar ainda mais as coisas. Desobedecendo Carl, Schascha tocou novamente.

— Ou melhorar!

Gritos vindos de dentro da casa. Em seguida, Effi saiu de seu posto e abriu uma fresta da porta. Uma por onde um livro poderia passar e que deixava à mostra apenas a face boa do rosto.

— Sinto muito, sr. Kollhoff. Estou doente, não posso...

— Ele bateu em você? — perguntou Schascha. — Quer que a gente chame a polícia?

— Não! — disse Effi rapidamente. — Agora com licença, eu preciso voltar lá para dentro.

— Senhora Cremmen, aqui está o seu livro — disse Carl. — Em breve voltaremos, sim? Espero que fique tudo bem com a senhora, e vou deixar meu número de telefone caso precise de alguma coisa, certo?

Carl anotou o número às pressas e passou o papel pela fresta.

Depois disso, o mundo de Effi se fechou novamente.

Estava mais uma vez a sós com o marido, Matthias, por quem se apaixonara alguns anos antes, quando trabalhava na Emergência. Naquela ocasião, Matthias chegara com ferimentos e leves fraturas. Tudo em sua linguagem corporal revelava que ele era um arco retesado, pronto para disparar a flecha. Os olhos pareciam capazes de detectar todas as vulnerabilidades nas defesas do inimigo. Qualquer pessoa seria capaz de dizer que havia algo de errado com aquele homem que trajava um terno azul-escuro impecável. Effi também, e quis entender o porquê.

Matthias contou então que tinha apanhado de três homens que haviam zombado dele porque o viram lendo um livro no banco da praça. Não tivera a menor chance de se defender. E foi naquele momento que a semente do amor foi plantada em Effi. Ela escolhera Matthias imaginando que um homem que gostava de ler devia ter um coração sensível.

Mas a verdade é que Effi nunca perguntara o título do livro que ele estava lendo. O título sensacionalista, impresso em letras enormes, era: *Como ganhar qualquer briga*. Ao avistarem aquilo, os três desconhecidos sentiram-se desafiados e começaram a fazer comentários depreciativos sobre Matthias. Insultado, ele se lançou sobre o grupo, e uma briga começou imediatamente.

Naquela ocasião, ele levara a pior, mas a sensação tinha sido tão boa que logo se viu buscando repetir a experiência. Passou a frequentar com assiduidade as partidas do time de futebol da cidade, não pelo esporte, mas para entrar nas confusões que se seguiam após o jogo. Sentia-se vivo a cada golpe que desferia ou recebia. Brigar logo se tornou um vício, e Matthias começou a fazer o mesmo dentro de casa. Ele amava Effi, mas gostava mais ainda de bater nela.

Ela, por sua vez, não perdia as esperanças de que aquele homem sensível lendo no banco da praça um dia pudesse mudar. E pensava que, quanto mais se esforçasse, quanto mais se empenhasse em tornar bonito o lar que compartilhavam, mais rápido essa conversão aconteceria. No entanto, por mais que se dedicasse, Matthias sempre achava algo para criticar e servir de motivo para agredi-la. Dizia que não gostava de fazer aquilo, mas que ela merecia, que não havia nada a fazer senão castigá-la. O mais trágico era que Matthias de fato não via outra opção.

Não foi consolo algum para Carl saber que Effi tinha um novo livro para ler.

— A gente não fez o bastante por ela — disse Schascha. — Temos que ajudar mais.

— Tem razão. Precisamos pensar em um livro que poderia ajudá-la nesse momento.

Como não sabia o que dizer, a menina permaneceu em silêncio. Quando dobraram a esquina, mais uma vez Schascha disse que esquecera algo e precisaria voltar. Carl ficou admirado. As crianças eram mesmo tão esquecidas quanto os idosos? Ele não se lembrava de como tinha sido na infância dele.

Mas Carl já sabia o que Schascha estava prestes a fazer. Na visita anterior, à sra. Meialonga (cujo último achado tinha sido "ele a presenteou com um olhar de solário"), ela também alegara ter esquecido algo ao deixarem o local. Como Schascha fizera o mesmo após a visita a Mister Darcy, Carl resolvera segui-la discretamente. Canino, que surgira de repente a seu lado, ganhara um biscoitinho da lata de Carl, e ambos haviam observado Schascha entregar um livro embrulhado em papel de presente colorido à velha senhora. Depois de abri-lo, a sra. Meialonga abraçou Schascha com afeto, desapareceu dentro de casa por um instante e logo retornou com uma barra de chocolate.

Carl adoraria ter visto o título do livro, mas não quis constranger a menina. Esperava por uma ocasião mais propícia, caso Schascha também esquecesse algo após a última visita.

* * *

Schascha chegou saltitante, tirou a mochila das costas e girou com ela, como se fosse um parceiro de dança. Canino ficou irritado com a cena, o rabo grosso empinado. Carl lhe deu mais um biscoitinho para acalmá-lo. Afinal, eram tempos estranhos, até para os gatos.

O Leitor havia adorado a nova tradução de *Dom Quixote*, de Cervantes.

— Você lê muito — disse Schascha.

— Oito horas por dia na fábrica. Além disso, também leio em casa, pois preciso escolher os novos livros que vou ler para as funcionárias que enrolam os charutos.

— Então você sabe muito sobre livros?

— Ah, bem, independentemente de quantos livros a pessoa leia, sempre existem muitos mais que ela não leu, o que é triste. Quem ama ler nunca tem tempo o bastante, mesmo que queira poder ler todas as boas histórias que existem no mundo.

— E por que você não escreve um? Você sabe como uma boa história deve ser.

O Leitor ficou estarrecido.

Carl estranhou que Schascha não tivesse feito aquela pergunta a ele mesmo, Carl. Talvez achasse que, assim como entregadores não criam o conteúdo dos pacotes, apenas os entregam, entregadores de livros não escreviam, só entregavam.

O Leitor olhou para Carl.

— O senhor tem mesmo uma parceira notável, não?

— Também acho, e não é de hoje — respondeu Carl.

Na verdade, ele pensava isso o tempo todo.

— De fato, Schascha, eu escrevi um livro, sim. Passei dez anos nesse processo.

Canino passeou pelas pernas do Leitor e pareceu a Carl que o gato queria acalmá-lo, pois o homem parecia muito nervoso.

— Do que fala a história? — perguntou Schascha. — É sobre você?

O Leitor sorriu.

— Não, é a história de um deficiente auditivo que quer aprender a dançar tango, mas é recusado em todos os cursos. Um dia, ele coloca um anúncio em um jornal e uma mulher aparece, disposta a ensiná-lo. Ela coloca as caixas de som no chão e eles dançam de pés descalços, para que o homem possa sentir as vibrações. Os dois se apaixonam, mas depois o homem descobre que a professora também é deficiente auditiva. Quando percebe que ela também não pode ouvir a música, ele se sente traído e termina o relacionamento.

— Que história mais boba — disse Schascha. — O final principalmente. Eles deviam se beijar.

— Eles se beijam, mas não no final.

— Mas no final é mais importante! É sempre no final que eles devem se beijar. Antes não vale.

— Bem, você precisa saber que, na vida, as pessoas se beijam e depois param de se beijar — disse O Leitor. — A diferença entre um romance com final feliz e um sem final feliz é apenas o ponto em que se para de contar a história.

— Você não entendeu o que eu quis dizer. Eu quis dizer que ninguém gosta de histórias tristes.

Mas, ao dizer aquilo, Schascha pensou em Effi e imediatamente percebeu que estava errada.

— Bem, pelo menos as pessoas normais e felizes. Seu livro vendeu bem?

— Não, ninguém nunca leu. Nunca publiquei.

— E você nunca leu a história para alguém? Nem para as mulheres que trabalham lá na fábrica de charutos?

— Não conseguiria ler nenhuma palavra.

— Por quê?

— Porque provavelmente o livro é péssimo.

Schascha então apontou para Carl.

— Por que não deixa o passeador ler? Ele entende de livros, vai poder dizer se o livro é bom ou ruim. Mas que o final é idiota, isso você já sabe.

De repente, Schascha teve a impressão de que O Leitor não se mexia mais. Ficou paralisado. Era evidente que muita coisa se passava na cabeça dele.

— Ora, eu não poderia pedir uma coisa dessas — cochichou O Leitor para Schascha, apesar de saber muito bem que Carl conseguia ouvir tudo.

— É claro que poderia — respondeu ela. — Ele é muito simpático, vai ser um prazer para ele. Além do mais, ele passa o dia inteiro lendo livros, pode muito bem ler o seu.

— Sr. Kollhoff, eu não queria constrangê-lo. Não quero que se sinta obrigado, sim? Tenho certeza de que muita gente lhe pede esse favor.

Carl nunca recebera um pedido assim, o que o alegrava. Afinal, se o livro fosse ruim, como dizer ao cliente sem magoá-lo?

— Você vai ler, não vai? — perguntou Schascha, nenhum sinal de dúvida em seu tom.

Carl hesitou e olhou para aqueles olhinhos azuis e alegres. Não poderia decepcioná-la.

— É claro, com o maior prazer.

— Bem, sendo assim, então vou buscá-lo agora mesmo — disse O Leitor.

Ele desapareceu dentro da casa, mas logo voltou com o manuscrito, guardado em uma caixa de sapatos.

— Mas, por favor, seja cem por cento sincero, sim? Só isso vai me ajudar — pediu ele, engolindo em seco.

Schascha não soube bem o que ele engolira, mas devia ser algo bem grande.

— Leia com calma, não tenho pressa — disse ele, por fim.

— Vai ser uma alegria e uma honra para mim.

— Assim espero.

O Leitor abriu um sorriso amarelo. Por tanto tempo ansiara e temera que aquilo acontecesse. A partir daquele momento, seu livro estava no mundo. Era apenas um pequeno passo, seria lido por uma única pessoa, mas as linhas que ele escrevera finalmente seriam consumidas, e ele teve a impressão de que, com isso, poderiam se quebrar.

O Leitor não sabia mais o que dizer.

— Então...

— Então, tchau — disse Schascha. — Precisamos seguir nosso trabalho.

— Claro, não quero atrasá-los. Até breve. Já encomendei o próximo livro por telefone.

Despediram-se, e, mais uma vez, Schascha disse que havia esquecido algo.

— Eu vou com você — disse Carl. — Fico muito entediado sozinho.

— Vai ser bem rápido, você mal vai ter tempo de se entediar.

— Eu insisto. Vai me fazer bem caminhar um pouco mais.

Carl se deliciou — e ao mesmo tempo se envergonhou por estar se deliciando — ao ver Schascha mordendo a parte interna da bochecha, pensativa. Ela então bateu na própria testa, dramática.

— Sou uma boba, não esqueci nada.

— Sério?

— Sério.

— Hum... Tem certeza de que não quer levar um dos seus livros para ele?

Schascha bateu o pé, furiosa.

— Ora essa! Então você sabe o que andei fazendo.

— Só desde a visita a Effi.

— Você ficou me espionando.

— E você está fazendo concorrência comigo.

— Nada disso. Eu não vendo meus livros, estou dando de presente.

— São os tais livros que, segundo você, meus clientes deveriam ler?

— Sim, são livros que os deixarão felizes. Como você se recusou, eu usei todas as minhas economias.

— E que livros eram?

— Bem, como Mister Darcy só lê coisas para refletir, achei que um pouco de trabalho manual seria bom, então comprei um livro de marcenaria. Vi que ele tem madeira no jardim.

— Parece lógico. E para a sra. Meialonga?

— Ela adora encontrar erros. Quanto mais encontra, mais feliz ela fica.

— Estou curiosíssimo para saber qual livro você deu a ela...

— O dela era um livro com várias imagens em que a gente precisa encontrar sete erros. Ele se chama...

— *O jogo dos sete erros*!

Mas não eram exatamente os erros que uma velha professora encontraria com facilidade. Com certeza ela ficaria um bom tempo ocupada.

— E para Effi?

— Uma coletânea de piadas, para ela dar risadas.

Carl achou que Effi fosse ler no máximo uma página. Mas mesmo quando um livro dado de presente não é lido, ainda assim trata-se de um gesto carinhoso, além de um elogio ao intelecto e ao bom gosto do presenteado. Muitos autores devem sua carreira a livros que foram dados de presente, mas quase nunca lidos. Seja pelo conteúdo importante, seja simplesmente porque ficam bem na estante, junto com uma reprodução da imagem de um elefante de Dalí em moldura dourada.

— Deixei o livro de piadas na caixa de correios de Effi. Eu não quis tocar a campainha de novo.

Carl olhou para a casa d'O Leitor.

— E o que pretende deixar para ele?

— Foi bem difícil escolher alguma coisa! Eu não sabia muito bem o que o deixaria feliz, porque não sei o que o deixa triste.

— Mas você trouxe um livro para ele?

Schascha assentiu e tirou o livro embrulhado de dentro da mochila.

— É de um Alfred alguma coisa, um livro sobre palavras novas.

— Alfred Heberth. *Palavras novas: Neologismos na língua alemã desde 1945*. Escolha surpreendente.

— Imaginei que ele fosse gostar de ler palavras que nunca escutou na vida. Algo como "Pneumoultramicroscopicossilicovulcanoconiótico".

— E que tal anticonstitucionalissimamente?

Schascha olhou para Carl com ironia.

— Uau, você consegue ser engraçado!

— Foi sem querer — retrucou Carl.

— Pode assumir, não é nenhum pecado.

— Duvido que você tenha encontrado esse livro sozinha. Quem o recomendou a você?

— O velho dono do Sebo Moisés. Acho que ele é até mais velho do que você, sabia? A pele dele é toda enrugada, como quando a gente enrola aqueles lençóis de elástico.

Hans era um homem maravilhoso e afetuoso. Sentado atrás de todas aquelas pilhas de livros, parecia uma tartaruga esticando lentamente a cabecinha. Mas o fato é que Hans não lia, apenas assumira o negócio herdado da mãe. Sua rebeldia consistia em negar-se a ler clássicos como Goethe, Schiller, Fontane, Dürrenmatt ou Tolstoi, e sim coisas como *Lassiter, o cara mais durão de seu tempo*. Embora soubesse os nomes dos principais escritores e conhecesse o gênero dos livros, ele não lia nada. Quem fazia isso era sua mulher, que falecera no começo do ano. Agora era um sebo sem um proprietário leitor.

— Eu disse que só tinha dinheiro para livros baratos, só alguns centavos. Mas não foi problema.

— E você encontrou um livro para cada um?

— É claro. Quer dizer, foi ele quem encontrou. E muito rápido. Ao lado da caixa registradora ele tinha uma caixa de papelão com todos os livros certos.

A caixa continha todas as obras que Hans não conseguia vender, por isso os dava aos bons clientes para criar mais espaço. Sem dúvida não tinham vindo todos daquela caixa, quem sabe um ou dois.

— Leve para O Leitor, ele vai gostar.

— E você, o que pretende fazer?

— Vou ficar aqui pensando.

— Pensando no quê?

Schascha sabia que não era boa coisa quando um adulto dizia que ia pensar sem dizer antes a respeito do quê.

— Bem, como não consigo frear as ideias de uma certa menina teimosa, preciso ao menos pensar em um jeito para que elas funcionem da melhor maneira possível.

— Bem, se é isso, então pode ficar aí pensando o tempo que quiser — disse Schascha.

Eram nove da noite quando o telefone de Carl tocou, coisa que não era nem um pouco comum. Ele não era muito fã do aparelho, e naquele momento estava no continente africano, pois relia *Memórias da África*, o romance autobiográfico de Karen Blixen, vinte e cinco anos depois. Ele costumava revisitar cada livro depois de um quarto de século para descobrir se havia algo novo.

Carl marcou a página com um cupom fiscal da padaria e colocou o livro de lado. Antes de tirar o aparelho do gancho, ajeitou o colarinho da camisa.

— Kollhoff falando, boa noite.

— Senhor Carl Kollhoff? Aqui é do asilo Münsterblick. O senhor Gustav Gruber gostaria de vê-lo.

— Ora, mas hoje é sábado... Ele não gosta de visitas aos sábados e...

— O sr. Gruber não está nada bem, sr. Kollhoff. Venha logo.

Carl apertou o passo pelas ruas escuras e quase perdeu o fôlego. No caminho, pensou em comprar alguma coisa para Gustav. Mesmo sabendo que o velho amigo talvez não pudesse desfrutar o que iria receber, Carl comprou um buquê de tulipas coloridas em um posto de gasolina. Gustav amava tulipas, elas o faziam se lembrar de Amsterdã. A felicidade é uma coisa difícil de tentar oferecer a alguém, mas nunca era demais tentar. Nos últimos instantes da vida de alguém, talvez fosse ainda mais importante.

Chegando ao asilo, Carl nem esperou o elevador. Subiu as escadas correndo. Bateu na porta do quarto, mas nem esperou. Foi logo entrando e esbarrou com Sabine.

Gustav estava na cama, com a respiração curta, sem força.

— Agora não, Carl — disse Sabine, enxotando-o para fora.

Ela queria que ao menos os últimos minutos do pai fossem somente dela.

— Ninguém pode entrar — acrescentou ela. — Ele precisa de repouso.

Ela fechou a porta.

— Como ele está?

— Agora não tenho tempo para falar sobre isso.

— Posso ajudar?

— Não, não pode.

— Mas e quanto a você? Quer que eu vá buscar algo para beber ou comer? Para recobrar as energias?

— Pode deixar, eu me viro muito bem sem a sua ajuda.

Sem dizer mais nada, Sabine deu as costas.

Mas Carl não queria deixar seu antigo chefe sozinho. Ir embora naquele momento seria como ignorar alguém que está se afogando. Sentou-se, mas se levantou logo em seguida. Sentar-se seria como desistir. Em vez disso, Carl ficou perambulando pelos corredores com cheiro de desinfetante, tão semelhantes entre si que formavam um grande labirinto do qual era impossível escapar.

Foi quando, de repente, deu de cara com um armário cheio de livros. A biblioteca consistia de muitos volumes tão manuseados e surrados que não poderiam sequer ser vendidos por um sebo de calçada. Era um verdadeiro hospício de livros. Os olhos de Carl percorreram as lombadas, os nomes dos autores e os títulos. Ele não sabia muito bem o que buscava, mas, quanto menos encontrava, mais clareza sua busca foi ganhando.

Encontrou *Emil e os detetives*, de Erich Kästner, que lera na infância. Com o livro na mão, sentou-se em uma cadeira diante do quarto de Gustav.

Então, começou a ler em voz alta, mesmo sabendo que as palavras não seriam capazes de atravessar as paredes, mesmo sabendo que não continham nenhuma magia capaz de curar Gustav. Carl sabia que não era nenhum Merlin, nenhum Dedi, nenhuma Circe. Era apenas Carl Kollhoff, que, com sua voz enfraquecida, já sentia falta do melhor amigo.

Leu sobre Emil Tischbein e seus 140 marcos roubados no trem por Grundeis, um ladrão foragido, sobre Gustav e sua buzina, sobre Pony Hütchen e a agência de espionagem com o lema "Emil".

Carl nem olhou para os ponteiros de seu relógio de pulso. Foi lendo sem parar, como se interromper a narrativa pudesse, de alguma forma, romper o fio da vida de Gustav. De repente, uma enfermeira passou por ele e se dirigiu ao quarto de Gustav, seguida por outras em seus uniformes brancos esvoaçantes. Um bando de pássaros fugindo de uma ave de rapina.

Carl leu cada vez mais alto e rápido, expulsando as palavras das páginas. Segurava o livro com tanta força que a capa dura se deformava. Logo o bando de pássaros brancos revoou para fora do quarto, lentamente, as cabeças baixas. Quando ninguém mais saiu, Carl fechou o livro, pousou-o delicadamente no chão ao lado da porta de Gustav e saiu do asilo, agora desabitado para ele.

O velho sino de cobre que anunciava a chegada de clientes na livraria tinha um som alegre, mas quando Carl entrou, no dia seguinte ao da última visita ao amigo, a sonoridade lhe pareceu triste.

Na entrada havia um painel com uma grande fotografia emoldurada em preto que mostrava Gustav no dia em que se aposentara, ao lado da filha. Mal se via o rosto de Gustav atrás do buquê de flores enorme, e seu sorriso não passava de um reflexo do sorriso brilhante da filha. Naquele dia, Gustav não era mais o mesmo. Já começara a virar uma sombra.

Diante do painel havia uma mesinha com toalha branca e um livro de condolências. Carl folheou-o com os dedos trêmulos. Havia corações desenhados; muita gente escrevera palavras de tristeza e saudade. Muitos compartilharam suas recordações de Gustav ou listaram livros que ele recomendara, os quais significavam muito para os clientes. Uma caneta esferográfica preta ao lado convidava quem chegasse a escrever.

Carl se emocionava com as palavras, mas ele próprio nunca encontrava as adequadas. E para Gustav elas precisavam ser as certas. Deixar as palavras erradas para um homem das letras seria como entregar a um chef de cozinha um prato mal preparado tendo seguido sua receita.

De vestido preto, Sabine estava sentada atrás do balcão, digitando com os olhos fixos na tela do computador, os cabelos caindo no rosto.

Carl se aproximou.

— Meus mais profundos sentimentos pela perda do seu pai, Sabine — disse ele, sentindo muito mais dificuldade para chamá-la pelo nome do que de costume.

— Obrigada — respondeu ela, sem erguer o olhar. — Precisamos conversar.

— Estarei sempre aqui para o que for preciso. Saiba que meu ombro sempre estará disponível para você.

Nesse momento, Sabine olhou para ele, parecendo mirar um ponto bem no meio da testa de Carl.

— Senhor Kollhoff, não se trata do meu pai, mas da livraria.

O mundo de Carl estava tão repleto de tristeza que ele nem percebeu a rispidez na voz dela.

— Claro, sempre podemos conversar sobre a livraria.

— Enquanto meu pai estava vivo, não pude realizar muita coisa porque sei que ele não teria gostado. Mas acho que o senhor vai compreender que agora não quero mais perder tempo e pretendo colocar em prática quanto antes algumas transformações muito importantes para a sobrevivência do nosso negócio.

Parecia que ela havia escrito a frase e ensaiado várias vezes antes de falar.

— Claro — disse Carl, ainda sem imaginar o que aconteceria.

— A primeira delas será cancelar seu serviço de entregas. A partir de agora, os clientes devem buscar os livros que encomendam pessoalmente aqui na livraria, ou então eles serão enviados pela agência de entregas que contratamos. Peço que, por favor, o senhor informe hoje mesmo aos seus clientes sobre essa mudança. Se algum deles não estiver em casa, deixe por escrito.

— É por causa do salário? Se for, não precisa mais me remunerar.

— Não é só pelo dinheiro, sr. Kollhoff. Já expliquei detalhadamente do que se trata.

— Mas a maioria dos pedidos é feita diretamente comigo los clientes, e eu os insiro no sistema.

— Eu gostaria de não ter que discutir agora os processos com o senhor. A livraria é minha e a decisão está tomada — disse ela, e, ainda digitando, continuou: — Trata-se de uma decisão racional e puramente econômica. Por favor, não transforme isso numa grande questão, sim? Aproveite suas tardes livres a partir de agora para fazer coisas proveitosas.

Catatônico, Carl não conseguia se mover, pensar e nem mesmo respirar. Só quando se deu conta disso foi que voltou a raciocinar e a encher o pulmão. Aproveitar as tardes para fazer coisas proveitosas? Como assim? Para ele, não havia nada mais maravilhoso do que entregar livros para as pessoas!

— Eu posso comprar os livros normalmente aqui, como se fosse um cliente, e entregar a eles, não me importo.

— Nesse caso, o senhor não estará coberto pelo seguro no caso de acidentes de trabalho ou qualquer coisa assim.

— E aí o risco passa a ser só meu.

— É essa discussão que eu gostaria de evitar, sr. Kollhoff.

— Mas...

— Fazendo isso, a coisa ficaria parecendo um serviço oficial da livraria. Se durante essas entregas o senhor, de algum modo, se portar mal com os clientes, isso vai prejudicar nossa imagem. E isso é tudo. Agora, se me dá licença, tenho mais o que fazer do que continuar com essa conversa. E todos vocês aí, por favor, voltem ao trabalho!

Carl nem percebera que à esquerda e à direita estavam os três funcionários da livraria, além de Leon.

— O sr. Kollhoff jamais se portou mal com os clientes — disse Vanessa Eichendorff, que fora treinada por Carl e a quem ele encorajara a enfrentar as dificuldades iniciais sem desistir.

— Nunca houve uma única queixa — sublinhou Julia Berner, para quem Carl dera 30 euros a fim de compensar os erros dela ao fechar a contabilidade em seu primeiro dia de trabalho.

— Os únicos comentários sobre ele que chegam são de agradecimento, clientes dizendo que apreciam quão bem cuidamos deles — disse Jochen Giesing.

Carl arrumara um estágio para a filha de Jochen, Lily, na confeitaria onde comprava seu *croissant* todas as manhãs. Era amigo do padeiro havia vinte e sete anos. Trocar produtos quentinhos do forno por moedas os unira.

Leon achou que também devia dizer alguma coisa.

— Graças ao sr. Kollhoff, minha família compra livros aqui há várias gerações. Inclusive um monte que eu nunca li.

As pupilas de Sabine tremelicaram de nervosismo. A jugular pulsava, e as mãos, agitadas, toda hora passavam a caneta para lá e para cá. Sabine resolvera colocar um ponto final de uma vez por todas e remover da livraria tudo o que a fazia se lembrar do pai: uma fotografia dele com um Günter Grass jovem, futuro ganhador do prêmio Nobel; o certificado do Prêmio de Cultura do Município em agradecimento às atividades que ele realizava na livraria; e até mesmo o desenho que ela, Sabine, fizera do pai quando estava no jardim de infância. Ela não queria mais recordações porque aquilo doía. A maior lembrança era o próprio Carl Kollhoff, para quem o pai teria transferido a livraria se a tradição familiar não o houvesse impedido.

Ali, encarando seus funcionários, Sabine percebeu que nenhum deles estava pronto para se desfazer daquelas lembranças, das quais Carl Kollhoff representava o último elo. Talvez não tivesse sido o melhor momento para propor aquela ruptura, mas podia ser um bom dia para mostrar que ela estava a caminho.

— Bem, deixemos as coisas como estão... por enquanto.

Era uma ameaça que todos entenderam.

Carl embrulhava seus livros em silêncio. Dobrar o papel, rasgar suavemente os pedaços de fita, o farfalhar da embalagem de um pacote na mochila. Executar aquela rotina foi acalmando sua respiração, mas não seu coração. Estava em liberdade condicional. Qualquer erro seria o fim.

Embrulhou também os livros que daria de presente aos seus clientes para deixá-los felizes, segundo o planejamento de Schascha. E que livro escolheria para si mesmo quando fosse demitido? Certamente, o computador de Sabine recomendaria um com tarefas para homens da idade dele, como jardinagem, culinária, pintura em seda, quem sabe um curso de pós-graduação. Tudo isso poderia fazer alguém feliz, mas não quando esse alguém acaba de ser destituído da tarefa que o fez feliz durante décadas. Qualquer atividade seria apenas uma substituta, amarga como cevada para alguém acostumado a um bom café.

Nem o casaco amarelo de Schascha, que a fazia parecer um sol com pernas, foi capaz de alegrá-lo.

— Você está diferente — disse ela ao cumprimentá-lo.

— Estou igual.

— Seus olhos parecem diferentes.

Schascha foi recuando de costas, para examinar a distância o olhar do amigo.

— Só tenho esses olhos aqui, não dá para trocar — disse Carl.

— Você chorou?

— Não.

— Chorou por dentro? Digo, sem lágrimas nos olhos, mas no coração?

— Lágrimas no coração?

— Aham.

— Mas por que meus olhos estariam diferentes se chorei com o coração?

— Os olhos ficam com vergonha, sabem que deveriam ter chorado.

Carl passou a ponta dos dedos nas pálpebras, caso elas realmente estivessem envergonhadas e precisassem de carinho.

— Posso perguntar mais uma coisa? — disse Schascha.

— Normalmente você não pede, pergunta direto.

— Tenho medo de que a pergunta seja chata para você.

— Até agora, isso nunca foi problema para você; então, desembuche.

— Você já encontrou um apelido para mim?

— Não. Não me lembro de nenhum personagem de livro que seja como você.

— Mas eu queria tanto um! Você precisa ler mais.

— Em breve — disse Carl, sem explicar.

Dessa vez, Canino chegou mais cedo e se esfregou na perna direita de Carl, perto do bolso onde costumava ficar a latinha com os biscoitos. Mas Carl não lhe deu nada. Canino voltaria apesar disso? Quando se inclinou para fazer carinho no gato, ele saiu correndo e o movimento fez Carl perder o equilíbrio, tropeçar e cair de cabeça no calçamento, o qual era feito de paralelepípedos muito duros, que haviam resistido a carroças de cavalo e esteiras de blindados. Bateu primeiro de joelhos e depois de lado com o restante do corpo. A decepção foi maior do que a dor. Jamais caíra ou escorregara durante suas rondas. Podia confiar nos seus sapatos e nas meias, mas, ao que parecia, o mundo estava mudando. Essas transformações o atacavam como uma alcateia de lobos famintos atacaria uma ovelha ferida.

— Vem, eu te ajudo — disse Schascha, estendendo a mão.

Carl a tomou, mas se apoiou no pavimento, em vez de puxá-la.

— Quer que eu leve sua mochila? Consigo carregar as duas — disse ela.

Carl conseguiu ficar de pé, mas os joelhos doíam e a palma das mãos estava ralada.

— Não, seria estranho fazer a ronda sem sentir o peso nas costas.

Schascha lhe entregou a mochila que caíra no chão.

— Está bem pesadinha. Aí dentro só tem livros de que você gosta? Ou tem também alguns de que não gosta?

— Gosto das suas perguntas.

Carl limpou a poeira da roupa.

— Mas hoje não estou bem, ok? Não tenho forças para responder.

— Isso não é resposta.

Carl suspirou.

— Eu também carrego livros de que não gosto, que não me tocam. Nem todo livro tem esse poder, sabe? Além disso, até o livro mais bobo pode gerar ideias inteligentes. Um pouco de bobeira não faz mal a ninguém. É só prestar atenção para que ela não tome conta e se espalhe.

Era muito raro Carl mentir e dizer que um determinado título estava esgotado. Quando o fazia, sempre se envergonhava. Certa vez, deixara de levar um livro para Effi porque ouvira falar que uma mulher entrara em depressão depois de lê-lo.

— Tenho mais uma pergunta.

— Outra hora, gostaria de não falar mais nada hoje.

— Só mais uma! Porfavorporfavorporfavor!

— Por que você é tão insistente?

Schascha entendeu isso como um "sim", mas também teria perguntado depois de um "não". Tinha a sensação de que Carl afundaria ainda mais em sua tristeza se não conversassem. Suas perguntas seriam uma espécie de boia para que os pensamentos dele continuassem na superfície, ali, com ela.

— Alguma vez você já recusou um cliente? Ou riscou do seu caderninho?

Carl ficou tão irritado com a lembrança que aquela pergunta lhe trazia que se esqueceu da tristeza por um momento.

— Sim, mas em legítima defesa. Que é o mesmo motivo pelo qual vou ficar quieto!

— Esse cliente foi o marido da Effi? Ele te bateu?

— O quê? Não. Onde está Canino?

O gato havia desaparecido silenciosamente.

— Por quê, então? — perguntou Schascha. — Fala logo.

Carl inspirou fundo. Não tinha a menor vontade de responder, mas tampouco queria perder a companhia de Schascha. Ficar sozinho seria muito pior do que ter de aguentar o interrogatório dela.

— Foi uma cliente que sempre quebrava a espinha dos livros. Ou seja, apertava a lombada até parti-la ao meio.

— Que horror!

Schascha teve vontade de cuspir, mas pensou melhor e mudou de ideia, porque isso seria muito nojento.

— Pois é, a pessoa achava que assim ficava mais fácil para segurar. Logo depois de desembrulhar ela já fazia aquilo, até que eu não aguentei mais aquele barulho do papel estalando e parei de levar livros para ela. Está feliz agora?

Schascha pensou nos livros em sua mochila.

— Acho que você estava coberto de razão. Posso comprar um sorvete para você?

— Só porque eu respondi à sua pergunta?

— Não, é porque sorvete sempre deixa tudo melhor.

— Nem sempre. Sorvete com certeza não vai resolver os meus problemas.

— Vai, sim. Sorvete é fantástico.

Ela insistiu para que Carl provasse um sabor chamado Pinguim, de nozes e chocolate, terrivelmente doce, talvez por causa da cobertura de granulado colorido que ela colocara por cima. De fato, o sorvete ajudou. E quando caíram duas gotas na bota direita de Carl, fazendo parecer que ela tinha dois olhos e uma expressão bem idiota, ambos caíram na gargalhada.

Naquela tarde, Carl avisou a todos os clientes que, a partir daquele momento, deveriam encomendar livros diretamente com ele, de preferência quando fosse visitá-los ou então por telefone, pois sempre estava em casa. Não queria correr o risco de que Sabine os convencesse a não usar mais os serviços, pois nesse caso não haveria mais argumentos contra a sua demissão. E, sem clientes, nada de Carl na livraria.

Schascha só levava livros para os clientes que ainda não tinham recebido nenhum dado por ela. Assim, Doutor Fausto ganhou um calendário com as imagens dos filhotes de cachorro mais lindos do mundo, e tentou demonstrar alegria. Carl presenteou Mister Darcy com uma edição de luxo de *Orgulho e preconceito*, dizendo que era um pequeno agradecimento da livraria por tantos anos de fidelidade. Mister Darcy retrucou que no dia anterior recebera um livro em virtude do aniversário de Carl, e que os trabalhos em marcenaria eram muito mais fascinantes do que ele suspeitara. Fez isso olhando de soslaio para Schascha, que, diante do comentário, pareceu crescer uns três centímetros.

Embora Effi não tivesse feito encomenda alguma, passaram na casa dela. Estava tudo às escuras, e ninguém abriu a porta depois que tocaram a campainha. Carl jogou *A Farmácia de Versos do dr. Kästner* em sua caixa de correio, pois suspeitava que ela precisava de ajuda em várias áreas da vida, mesmo que não tivesse certeza de que os versos maravilhosos de Kästner pudessem resolver.

Quando estavam sentados à mesa da cozinha de Hércules, Schascha perguntou se ele gostara de *Werther* (era fácil decorar o nome).

— É um romance epistolar em que o jovem jurista Werther e seu amigo Wilhelm trocam cartas, nas quais o primeiro relata a infelicidade do amor que sente por Lotte, que é noiva de outro.

Schascha estranhou. Era exatamente a descrição que Carl fizera do romance. Parecia que Hércules a decorara.

Para Hércules, Carl escolhera um livro (de capa vermelha, é claro) com um resumo das principais obras da literatura universal. Ele não demonstrou qualquer alegria ao desembrulhá-lo. Olhou para o livro parecendo confuso, e só esboçou um sorriso quando Schascha explicou por que Carl escolhera aquilo.

— Agora você não precisará mais de mim para resumir os romances — disse Carl. — Nesse livro, os resumos são feitos por especialistas de verdade.

O esboço de sorriso se apagou como uma lâmpada.

Schascha entendeu. Virou-se para Carl.

— Preste atenção nos olhos dele.

Em seguida, abriu o livro e se virou para Hércules. Passou a ponta do dedo pelo índice.

— Aqui estão todos os nomes dos principais livros. Temos *A ilha de Rügen*, por exemplo. É muito famoso. Já leu?

— Ainda não.

— Mas esse aqui com certeza, não é?

Ela apontou para uma linha e deixou a pergunta suspensa por um tempo.

— *As ovelhas da família Stein*?

— Infelizmente, também não. Mas, por favor, sr. Kollhoff, continue me falando dos livros. Imagino que esse livro seja muito bom, mas quando o senhor fala, as histórias ganham vida.

— Claro que sim, continuarei contando.

Hércules quis saber o enredo de *A ilha de Rügen* e *As ovelhas da família Stein*, e Carl contou da melhor forma possível, apesar de não ter lido nenhum dos dois, simplesmente porque os dois livros não existiam.

De volta à rua, Carl respirou fundo.

— Ele não sabe ler.

— Coitado.

— Por que você falou da ilha de Rügen, de ovelhas e da família Stein?

— Estive no ano passado com papai passando férias na pensão dos Steins; eles têm várias ovelhas bonitinhas. Será que nós podemos ajudar Hércules?

— Devemos!

— Mas um livro não vai adiantar.

— Não vai. E ele não pode ficar envergonhado com a nossa ajuda, como ficou hoje.

— É horrível ficar envergonhado. Sei disso muito bem, passo muita vergonha.

Caminharam em silêncio. O efeito do sorvete havia passado. Às vezes, nem todo sorvete do mundo é capaz de resolver.

Na volta, passaram pela casa d'O Leitor, mas não havia nenhum livro para ele nas mochilas.

— O que você achou do livro dele? — perguntou Schascha. — Acha que pode escrever um final feliz?

Carl ainda não havia lido uma linha sequer. Decidiu que não poderia mais postergar a leitura.

Carl empurrou a poltrona para longe da janela. Hoje não ia querer ver sua cidade, as ruelas e vielas, o que seus clientes estavam fazendo ou se Canino estava passeando nos telhados. Havia muita dor e muito medo.

Antes de ler, encheu uma jarra grande de chá e a deixou esquentando em um aquecedor a vela.

Para Carl, existiam três categorias de leitores: os coelhos, as tartarugas e os peixes. Ele próprio se considerava um peixe, o tipo que mergulha em um livro, ora nadando rápido, ora devagar. Os coelhos leem muito rápido, percorrem os livros a jato e logo esquecem o que leram, sendo obrigados a voltar para lembrar de algum detalhe. As tartarugas também precisam voltar, porque leem tão devagar que às vezes levam meses até terminar um livro. Uma página à noite antes de dormir, e às vezes precisam reler aquela página no dia seguinte porque não sabem mais ao certo em que ponto pararam. E cada um desses animais podia se transformar em um pássaro curioso, pular até o final e só ler o restante depois. Para Carl, fazer isso era como comer a sobremesa antes do prato principal. Ela até pode ser deliciosa, mas certamente vai faltar aquela vontade construída aos poucos a cada prato salgado.

Independentemente do animal que se é, o momento em que se abre um livro novo é sempre muito especial. Carl sempre se sentia inquieto, sem saber se o livro corresponderia às expectativas fomentadas pelo título e pelo texto das orelhas. Ou se, possivelmente, até as superaria. A linguagem e o estilo conseguiriam emocioná-lo?

Mal acabou de ler a primeira frase, escutou o timbre quente de barítono d'O Leitor. O romance parecia ser todo feito de palavras de sonoridade agradável, como se cada linha tivesse sido escrita com a orelha, o que era um contrassenso anatômico. Havia também palavras cruéis, mas até mesmo elas tinham um som alegre. Involuntariamente, Carl começou a ler em voz alta, o que nunca costumava fazer. E se esqueceu do chá.

Na verdade, estava lendo dois livros de uma vez, porque o surdo-mudo que queria tanto aprender a dançar tango estava escrevendo um romance secretamente. O livro contava a história de um balonista que construiu um balão tão imenso, com um cesto tão grande, que poderia levar consigo todo o necessário para viver para sempre no ar, sem jamais ter de voltar ao solo.

Quando o surdo-mudo rompe com a professora de dança após se sentir traído por ela, ele permite que seu personagem seja feliz e encontre o amor de sua vida. Quem sabe Schascha aceitasse esse meio final feliz.

Carl sorriu ao se lembrar de Schascha. Sentia falta dela, mais até do que de entregar livros.

Quando terminou a leitura do manuscrito, sentia-se feliz e um pouco melancólico. Porque, mesmo quando um livro maravilhoso termina na hora certa — com as palavras certas e quando qualquer outra palavra a mais simplesmente destruiria essa perfeição —, a gente sempre deseja mais algumas páginas. É essa a esquizofrenia da leitura.

Carl diria ao Leitor quanto ficara emocionado com sua história, mas tinha dúvidas se sua opinião bastaria. O Leitor precisava saber quanto seu livro era bom, e o livreiro teve uma ideia de como conseguir isso.

Capítulo 5

As palavras

Carl ficava admirado como, nos livros, o clima parecia variar de acordo com o estado de espírito dos personagens. Na vida real, não observava qualquer relação direta entre as condições climáticas e seu ânimo. Naquele dia, se sentia cheio de energia, mas o céu estava cinzento e as gotas que caíam das nuvens o acertavam em cheio. Como eram poucas — uma quantidade infame —, não justificava abrir o guarda-chuva; por isso, ele apenas levantou a gola do casaco.

O clima da tarde, no entanto, combinava perfeitamente com o ânimo de Schascha. Ela parecia um sol apagado, com a boina de couro com óculos de piloto acoplado bem enfiada na cabeça.

— O que você tem?

— Ah, é o chato do Simon! — praguejou ela.

— Que tal tomarmos um sorvete e você me conta melhor? — sugeriu Carl, pois a própria Schascha considerava sorvete uma receita infalível contra o mau humor.

— Não quero — respondeu ela, zangada.

— Nem se forem duas bolas de Pinguim, com granulado colorido?

— Tá, pode ser — disse Schascha, sem hesitar. — Mas só se for agora.

Foi assim que, pela primeira vez desde que começara aquele trabalho, Carl mudou o percurso de sua ronda.

Na pequena Sorveteria do Pino, Schascha pediu seu sorvete com calda de chocolate e granulado colorido. Como é impossível tomar sorvete de cara feia, a expressão da menina logo melhorou. Carl também pediu uma bola, só para fazer companhia a ela.

— O que Simon fez?

Schascha lambeu um pouco de sorvete que ameaçava escorrer pela casquinha.

— Ele me empurrou na hora do intervalo e eu arranhei o braço nos arbustos — disse ela, mostrando o machucado. — Aqui, ó. Saiu sangue!

Schascha sabia que eram apenas três arranhõezinhos, e que tinha sido só um empurrãozinho de leve. Ela só caíra por causa da mochila pesada. E também sabia que Simon tinha saído correndo, assustado e sentindo-se culpado. Mas, como não é sempre que acontece um drama na vida da gente, podemos muito bem ser um pouco dramáticos quando surge a oportunidade.

— Deve estar doendo — disse Carl.

— Está. Muito!

— Quer que assopre?

— Não vai adiantar! É um machucado de verdade.

Ao que tudo indicava, a eficácia de assoprar um machucado havia evaporado junto com o Papai Noel e o Coelhinho da Páscoa.

— Bem, acho que esse Simon pode estar apaixonado por você.

— Por que ele me empurrou, então? — questionou ela, lambendo o sorvete com mais vigor para demonstrar sua irritação com a hipótese.

— Porque os meninos são assim mesmo. Nessa idade, eles ainda não sabem muito bem como falar com as meninas.

— Bem, mas empurrar as meninas eles sabem direitinho!

— Realmente. Existe até uma expressão técnica para isso: "abordagem negativa". Ou seja, já é cientificamente comprovado que acontece.

— Mesmo assim, Simon é um chato.

Na idade de Schascha, "chato" e "menino" são sinônimos, pensou Carl.

— Todos os meninos são chatos — disse ele. — Até virarem homens.

— Mas os meninos podem virar homens chatos também.

— Vamos achar Simon e empurrá-lo de volta? — sugeriu Carl.

A princípio, Schascha olhou para ele com assombro. Depois, teve uma crise de riso e cuspiu um monte de casquinha de sorvete. Demorou a recobrar o fôlego.

— Não, eu não sou tão boba quanto ele. O que eu quero agora é sair para entregar livros.

Schascha foi reclamando de Simon durante todo o percurso até o convento, se lembrando de cada vez mais detalhes com os quais se irritar. Que Simon desenhara uma carinha sorridente em seu estojo, que escondera sua mochila (ao lado da dele!) e a escolhera para ficar no time dele na aula de Educação Física, apesar de Schascha não ser boa no queimado. Ele tinha cismado com ela! Mas por quê? No jardim de infância, os dois costumavam brincar juntos de pai-mãe-filhinho, sendo este último em geral um leãozinho de pelúcia ou Annette, uma boneca com orelhas de abano.

* * *

Irmã Amarílis havia encomendado mais um *thriller* do qual escorria sangue de cada página. Carl também a presenteou com um livro jurídico sobre o direito à moradia — quem sabe houvesse ali alguma instrução, alguma brecha jurídica que permitisse a ela permanecer no convento —, mas não se esqueceu de levar provisões e o maço de velas.

Em seguida, foram até a casa da sra. Meialonga, que logo abriu a porta.

— Ah, são vocês! Um segundinho, volto já.

Ela então desapareceu e voltou com os cabelos mais arrumados e o livro dos sete erros.

— Encontrei todos! — disse, mostrando suas anotações. — E também alguns erros nos textos. Quem sabe não ganho alguns pontos extras por isso?

A sra. Meialonga sorriu para os dois e voltou a falar:

— Muito obrigada. Há muito tempo eu não me divertia tanto. Sinto muita falta dos alunos, sabe? Principalmente dos mais difíceis, porque me dedicava muito a eles.

Havia tempo que uma ideia rondava a mente de Carl, à espera de sua grande chance de brilhar. O momento, enfim, havia chegado. Ele se virou para Schascha e disse:

— Schascha, você me faria um grande favor?

— Claro.

— Mas sem esperar um sorvete em troca?

— Acabei de ganhar um — disse ela, sorrindo. — Se bem que eu até tomaria outro e...

— Vá correndo até a casa de Hércules e veja se ele está lá. Se estiver, faça com que ele fique por lá. Nada de ir à academia ou ao supermercado. E então volte correndo para me avisar, está bem? Agora vamos, vamos!

Schascha saiu correndo. Enquanto isso, a sra. Meialonga se ocupou em mostrar mais um erro de ortografia ridículo a Carl.

Era muito bom poder correr em nome de uma missão importante: os pés ficavam mais ágeis e o coração batia mais rápido.

Schascha gritava: "Saiam do meu caminho! Saiam do meu caminho!" Infelizmente, o prédio em que Hércules morava não ficava muito longe. Ao chegar lá, esbaforida, a menina tocou a campainha.

— Quem é? — perguntou a voz pelo interfone.

— Sou eu, Schascha, a ajudante do Passeador de Livros, quer dizer, do sr. Kollhoff.

— Mas eu não encomendei nada.

— Você está em casa? Quer dizer, o senhor vai *ficar* em casa?

— Vou, por quê?

— Não vai à academia nem ao supermercado?

— Schascha?

— Sim?

— Por que você está fazendo essas perguntas esquisitas?

— Só responda sim ou não. Melhor que seja "sim".

— Hoje não pretendo mais ir a lugar algum.

— Está bem, obrigada, Hércules.

— Hércu... O quê?

Mas Schascha já havia desaparecido. De volta à casa da sra. Meialonga, esta tentava vestir um sobretudo, mas não conseguia de jeito nenhum enfiar o braço na manga porque estava muito agitada.

— Não fica longe daqui — disse Carl, abrindo o guarda-chuva e tentando encorajá-la depois de ter explicado tudo. — Se tudo correr bem, tenho certeza de que depois será ele quem virá até você. Assim ficaria menos ruim, certo?

Observando a imensidão do céu, a sra. Meialonga ficou um pouco tonta, mas logo sentiu a mão de Carl pousada em seu braço. Sentia-se como uma criança que dava os primeiros passos. Nem se lembrava de quando fora a última vez que saíra de casa. Não havia programado evitar o céu aberto, mas os dias acabaram virando semanas; as semanas, meses; os meses, anos. Quanto mais o tempo passava, maior se tornava o medo de deixar seu refúgio, cujos muros e teto a protegiam dos perigos do mundo exterior.

Agora, porém, se tratava de ter um novo aluno. Carl tentara convencê-la dizendo que era uma oportunidade única, que não poderia haver um motivo melhor do que aquele para voltar a sair.

Embora não tenha cessado, a sra. Meialonga sentiu o tremor nos joelhos diminuir um pouco. O braço firme de Carl e os pulinhos de Schascha, que ia andando na frente deles, ajudavam a apaziguar um pouco o medo. Um tempo depois, Canino chegou e fez aquele barulho que não era exatamente um miado, lembrava mais um latido. A sra. Meialonga até pensou ter ouvido mal.

Schascha tocou novamente a campainha de Hércules.

— Olá, quem é? — perguntou pelo interfone.

— Sou eu de novo, Schascha, mas agora o sr. Kollhoff também está aqui.

— Mas eu disse que não encomendei livro algum — disse Hércules, rindo.

Carl se inclinou para a frente.

— É sobre outro assunto. Preciso lhe pedir um favor.

— Ah, certo. Subam, então.

Hércules já estava na escadaria quando chegaram ao andar.

— Obrigado por nos receber — disse Carl.

— O senhor, sempre, claro.

— Esta aqui é a senhora...

Droga! Carl pensava tanto nela como sra. Meialonga que se esquecera completamente do nome verdadeiro da cliente, embora sempre o visse na plaquinha ao lado da campainha. Era como um ponto cego.

— Dorothea Hillesheim, muito prazer — disse ela. — Mas alguns amigos também me chamam de sra. Meialonga.

Ela olhou para Carl, que olhou para Schascha, que olhou para o chão.

Na cozinha, Hércules ofereceu-lhes algo para beber.

— Então, como posso ajudar? — disse ele, entregando os copos a cada um.

— Sou professora primária — disse a sra. Meialonga.

Hércules baixou as sobrancelhas, como um boxeador à espera do golpe definitivo.

— E tenho um aluno que não sabe ler nem escrever.

Ele pigarreou.

— Não sei como poderia ajudar, eu trabalho com material de construção.

— Bem, o problema é que esse aluno não me respeita, então estou tendo muita dificuldade para alfabetizá-lo. Diante desse desafio, acabei desenvolvendo um método maravilhoso, mas o problema é a minha idade. Sou jovem por dentro, é claro, mas ele não me acha descolada, entende? Por isso, preciso de alguém mais novo, com quem ele se identifique. Ele é muito fã de um certo herói de filme de ação, um verde, todo musculoso. Quando contei sobre o meu problema ao sr. Kollhoff, ele teve a ideia de pedirmos a sua ajuda.

— Bem, isso é...

— Eu gostaria de começar ensinando o meu método a você, para que então você possa ensinar a ele. Vai exigir certo esforço, não vou mentir. Teremos de passar letra por letra, porque desenvolvi frases mnemônicas para cada uma delas.

A sra. Meialonga olhou para Hércules, que massageava os nós dos dedos.

— Entenderei totalmente se recusar. Sei que tudo isso foi meio repentino, e você deve ter outras prioridades. Só estou pedindo porque gosto muito desse meu aluno, sabe? É um bom garoto, não queria que esse obstáculo atrapalhasse a vida dele.

A sra. Meialonga tomou um gole de água e, secretamente, desejou não ter exagerado na história, torcendo para que sua estratégia desse certo.

— Você poderia usar uma fantasia de super-herói! — disse Schascha. — De Capitão Alfabeto ou Homem ABC, que tal? Eu adoraria ter aulas com você!

Hércules respirou fundo.

— Devo dizer que... — Mais uma respiração profunda. — É uma ótima ideia! E eu seria um bobo se recusasse. — Ele esticou a mão imensa. — Conte comigo, sra. Hillesheim. Mas farei muitas perguntas para entender tudo direitinho, ok? A senhora precisa me ensinar como se fosse eu mesmo o aluno, porque quando faço alguma coisa, faço direito. Adorei essa ideia de ajudar com a alfabetização de crianças.

Carl teve de se esforçar para não abrir um sorriso largo, Schascha nem tentou se conter e a sra. Meialonga apertou a mão de Hércules por muito tempo, como se fosse um exercício de musculação.

Carl então se virou para Schascha.

— Amanhã cedo vou precisar de você de novo. Pode perguntar a seu pai se você pode vir comigo novamente?

— Mas é claro que eu posso. De qualquer forma, ele sempre sai de casa antes de mim.

— Não vamos demorar, mas talvez você se atrase um pouquinho para chegar na escola. Só que não tem outro jeito.

— As primeiras duas aulas são de Educação Física, que é quando o Simon fica me empurrando; então, não tem problema.

— Bem, se você algum dia quiser virar atleta profissional, não é bom ficar faltando às aulas de Educação Física.

— Não, eu não quero.

Hércules serviu licor para brindar com a sra. Meialonga ao projeto conjunto, e os dois falavam sem parar.

Carl voltou a se inclinar na direção de Schascha.

— O que você quer ser quando crescer?

— Não sei.

— Quando era pequeno, eu queria ser prefeito.

— Eu sou muito desorganizada pra isso. Ano passado a gente fez um bazar de arrecadação para o abrigo de animais, e cada um ficou responsável por uma barraca. A minha era de limonada, e tinha uma mesinha com toalha de plástico, muitos copos, limões etc. Eu fui a única que não conseguiu vender nada, e todo mundo implicou comigo por causa disso. Nunca mais na vida organizo coisa nenhuma.

— Mas você organizou muito bem o projeto de encontrar os livros certos para os meus clientes.

— Foi só um livro por pessoa, e consegui todos no sebo de uma vez só. Não chamo isso de organizar. Quando crescer, eu quero trabalhar em alguma coisa organizada por outras pessoas. Assim como você na livraria.

— Mas onde?

— Tanto faz, o importante é que seja trabalho em equipe. E que não tenha nada a ver com limões.

Carl acordou antes de o despertador tocar. Olhou para os ponteiros, incrédulo, porque fazia uma eternidade desde que aquilo acontecera pela última vez. Meia hora antes! Em vez de se virar para o lado e continuar a dormir, pulou (pelo menos segundo o padrão de "pular" para a idade dele) da cama e começou a se preparar para aquele dia especial: uma preparação que consistia, principalmente, em lutar contra o próprio nervosismo.

Na véspera, Carl telefonara para a fábrica de charutos Torcedor, na Bechtelstrasse, e se identificara como repórter do jornal local. Alegou que estava preparando uma matéria sobre O Leitor. Para tomar coragem, precisara tomar meia garrafa de vinho antes, e, por isso, sua fala ficou um pouco arrastada. A dona da fábrica não estranhou. Certamente devia achar que certo teor alcoólico na corrente sanguínea era o normal para qualquer jornalista. Carl fez várias perguntas, entre elas, sobre o horário de abertura da fábrica, a que horas O Leitor costumava chegar, se ele levava os próprios livros ou se ficavam ali mesmo. Ela respondeu que os funcionários e as funcionárias chegavam às oito e O Leitor, meia hora depois. Os livros ficavam na fábrica mesmo, e o da vez estava sempre sobre a mesa de trabalho. Ou seja, um cenário perfeito para o plano de Carl.

Ele olhou várias vezes para o sanduíche do café da manhã, como se alguém o tivesse trocado. No entanto, entre as mesmas duas fatias de pão artesanal havia a mesma quantidade de manteiga e o mesmo queijo Gouda meia cura. Mas o sabor era diferente, assim como o do café de "sabor delicado". Carl nunca comprara outra marca além daquela desde que surgira no mercado, mas o gosto nunca havia sido tão bom. Os sabores da manteiga e do queijo lhe pareceram tão intensos que era como se os sentisse verdadeiramente pela primeira vez. Chegou, inclusive, a preparar um segundo sanduíche, o que ele mesmo julgou um exagero.

Quando tirou o sobretudo do gancho, avistou sobre a cômoda uma pilha de livros que precisava devolver à biblioteca. Eram todos infantis, que ele havia pegado para tentar encontrar um personagem para Schascha. A menina queria muito um apelido, mas não estava sendo fácil. Nenhuma personagem se encaixava. Talvez fosse tarde demais. Carl já a conhecia muito bem. As alcunhas emprestadas dos livros funcionavam como uma espécie de etiqueta; quando a personalidade do indivíduo se desenvolve, a etiqueta se desprende, da mesma forma que é impossível devolver uma borboleta para a crisálida. Mas Carl continuaria procurando nas páginas pela garotinha que o acompanhava em suas rondas.

Mal pôs o pé na rua, lembrou-se da sra. Meialonga, que no dia anterior adentrara um mundo completamente diferente ao sair de casa. Carl se sentia do mesmo jeito. Aquela era a sua cidade — da qual conhecia cada paralelepípedo das calçadas do Centro —, mas, ao mesmo tempo, parecia outra. Uma variação. Afinal, ele nunca punha os pés para fora de casa entre as nove da noite e as nove da manhã. Durante esse intervalo, não fazia ideia do que acontecia nas ruas, não conhecia as pessoas que andavam por elas, nem suas vozes, nem seus ruídos. Via tudo com outros olhos.

Duzentos metros antes de chegar à fábrica de charutos, parou no sinal do anel viário de quatro pistas que desde sempre delimitara seu mundo. Em vez de apertar logo o botão de pedestres para atravessar, observou a fábrica do outro lado. De lá, Schascha acenava para ele sem parar e, a cada aceno, parecia puxar um fio invisível que o aproximava dela. Depois de três ciclos de abrir e fechar para os carros, ele apertou o botão e atravessou a parede invisível até a fábrica. Abandonava, assim, sua pequena ilha, porque uma parte dela se afastara da terra firme.

Nervosa, Schascha trocava o peso do corpo de um pé para o outro.

— Agora você vai me contar por que me pediu para vir até aqui?

— Você é a chave — disse Carl.

— Chave? Como assim?

— A partir de agora, você é a sobrinha d'O Leitor, e veio fazer uma surpresa para ele.

— Por que não pode ser você o tio dele?

— Porque é impossível recusar qualquer coisa a uma menininha bonitinha como você. Já a um idoso estranho...

— Eu não sou uma menininha!

Carl olhou para todos os lados para ver se alguém os ouvia. Checou até se uma das janelas da fábrica poderia estar aberta ou entreaberta antes de prosseguir:

— Você vai dizer que seu tio escreveu um livro para os funcionários da fábrica, mas que está sem coragem de ler, mesmo o livro sendo ótimo. Então, vai dizer que seu plano é substituir o livro que está na mesa dele pelo de autoria do seu tio; assim, ele não vai ter outra opção senão lê-lo. A história é quase toda verdadeira, não acha?

— Tirando a parte que é mentira.

— Às vezes eu gostaria que você fosse mais jovem e influenciável.

— Bem, eu vou fazer isso. Mas do meu jeito.

— Ah, não sei se...

— Eu vou contar que hoje se comemora o Dia do Tio na nossa família, e que sempre fazemos uma surpresa para eles.

— É... Isso, de fato, é bem melhor.

Para Schascha, aquele também estava sendo um dia fora do comum. Ela nunca sequer ouvira falar de lugares como aquele, onde tudo girava em torno de charutos. No saguão de entrada, ao lado de poltronas escuras, havia *humidores* de diversos tamanhos que, a julgar pelo aspecto, poderiam conter pedras preciosas. Em vez disso, os recipientes continham apenas aquelas salsichas marrons feiosas. Também havia vitrines com instrumentos sofisticados para cortar a ponta dos charutos e isqueiros cintilantes.

O lugar recendia a condimentos e terra, e estava na penumbra; a luz penetrava em feixes curtos pelas persianas e ouvia-se música cantada em um idioma estrangeiro. Schascha percebeu que Carl a empurrava gentilmente para a frente, porque, até então, ela estivera paralisada de espanto.

De repente, uma mulher de pele marrom-clara e cabelos castanhos apareceu e começou a falar. Suas palavras pareciam conter muito mais "erres" do que realmente tinham. Era Mercedes Riemenschneider, proprietária da fábrica, meio cubana, meio alemã. O negócio era ao mesmo tempo seu sonho e seu pesadelo. Indo contra a tendência atual de adotar hábitos saudáveis, Mercedes apreciava a embriaguez dos prazeres. O prazer, na verdade, era um protagonista em sua vida. Por isso, achava que ela mesma devia ser um colírio para os olhos, e usar vestidos justos e decotados não podia ser monopólio das macérrimas.

Schascha foi adiante com o plano e contou sua história, mas sem encarar Mercedes diretamente, permanecendo com o olhar fixo nas largas tábuas corridas do assoalho. Quando terminou, Mercedes afagou seus cachos escuros.

— Que ideia ótima! Então vamos, venha comigo — disse ela, mas, depois de ter dado alguns passos, virou-se e perguntou: — Você não deveria estar na escola?

— As duas primeiras aulas foram canceladas porque a professora está doente. Acho que ela está grávida!

Schascha sabia que os detalhes tornam as mentiras mais críveis.

Mercedes afastou uma pesada cortina vermelho-escura, o que revelou um salão com vinte mesinhas, onde estavam sentados homens e mulheres que olharam gentilmente para os visitantes. Cada um tinha uma tábua de madeira na qual enrolavam os charutos, e, ao lado, uma caixa de papelão com folhas de tabaco. Havia ainda balanças, tesourinhas, um lugar para depositar os charutos prontos e outros instrumentos, mas as mãos eram as ferramentas mais importantes. Deviam ser macias e flexíveis, e os charuteiros tinham de ter muita habilidade manual e trabalhar com precisão. A fumaça só encontra seu caminho pelas folhas em um charuto enrolado com a firmeza correta.

Lá na frente havia uma mesa alta com o livro que O Leitor estava lendo. Schascha foi até lá, colocou o exemplar de *Robinson Crusoé* na mochila e o substituiu pelo manuscrito inédito.

— Certo, agora vamos indo — disse Carl.

— Mas eu queria esperar até ele ler.

— Não, agora você precisa ir para a escola.

Mercedes se aproximou de Carl.

— Achei que os dois primeiros tempos de aula estavam livres, não?

Carl deu um sorriso amarelo.

— Sim, estão, mas a escola fica bem longe, e não consigo andar muito rápido.

A dona da fábrica pousou as mãos nos ombros de Schascha.

— Poxa, por que não deixa sua neta ter essa alegria? Ele deve estar chegando a qualquer momento. Aliás, se escondam ali na saída dos fundos, assim ele não vai ver vocês.

Carl e Schascha estavam ocultos pelas sombras quando O Leitor entrou e cumprimentou cada funcionário com um aperto de mão, sem dizer nada. Ele usava um xale vermelho e uma roupa quente demais para a estação, como se dissesse de longe ao vírus da gripe que nem adiantava tentar pegá-lo.

— Ele está quase chegando à mesa — sussurrou Schascha, que mal se continha.

— *Shhh!* — disse Carl, que também estava tenso, mas não queria admitir.

O Leitor chegou até a mesa e, ao avistar o manuscrito, olhou em volta procurando por Carl, a única pessoa que poderia tê-lo colocado ali. Como não o viu, voltou a olhar para o livro. Ergueu o exemplar para olhar por baixo e em seguida para o chão em busca de *Robinson Crusoé*. Mas, por mais que parecesse totalmente impossível, o livro desaparecera.

Mercedes se aproximou.

— Está tudo bem?

— Meu livro sumiu. Alguém por acaso pegou? — perguntou ele aos funcionários. — Alguém sabe onde está?

Todos olharam para Mercedes, que sinalizou um "não" imperceptível com a cabeça.

— E aquele ali na mesa, não é seu?

— Não. Quer dizer, é, mas...

— Leia-o, então. Está todo mundo esperando. Se o senhor lesse a lista telefônica daria no mesmo, porque o que nos fascina é a beleza da sua voz.

Mercedes tinha uma quedinha por Von Hohenesch, especialmente pela voz. Adoraria poder levá-lo para casa todos os dias depois do trabalho para que ele lesse só para ela. Fazia algum tempo que a mulher se perguntava como seria ouvir aquela voz grave e quente lendo literatura erótica para ela à luz de velas, com uma boa taça de vinho.

Mercedes pousou a mão na dele. Também queria escutar a leitura daquele livro. E não só porque talvez contivesse trechos sugestivos sobre uma certa cubana...

— Mas isso não é para...

— Leia, por favor, leia para mim.

O Leitor olhou para ela como se pedisse socorro. Teria preferido ler a lista telefônica ou as etiquetas dos maços de charuto, mesmo que estivessem escritas em servo-croata. Mercedes ignorou a súplica e saiu andando em direção a seu escritório, rebolando um pouco mais do que o habitual.

O Leitor alisou com cuidado a folha de rosto, como se precisasse despertar o manuscrito com delicadeza.

— *O tango silencioso* — começou. — De...

E murmurou mais duas palavras, que, apesar da pronúncia perfeita, ninguém entendeu. Sua voz de repente se apequenava. Leu as primeiras frases tateando, como se quisesse pôr à prova cada palavra.

Carl e Schascha tinham prendido a respiração. Eles eram os responsáveis por ter colocado aquele homem gentil em uma situação incômoda. Mas, a cada palavra que entrava no mundo sem tropeços, a cada frase pronunciada sem que alguém bocejasse ou risse no momento errado, O Leitor foi ganhando confiança, e essa confiança deu lugar ao prazer diante daquele texto, daquelas linhas que ele mesmo criara.

O Leitor apreensivo tornou-se então O Leitor radiante. Em seu escritório, Mercedes parecia igualmente resplandecente.

Os funcionários e as funcionárias tinham parado de trabalhar para escutar a história com total atenção. Percebiam que ali acontecia algo muito especial: uma estreia literária mundial na fábrica de charutos Torcedor.

Um homem que encontrava, enfim, a própria voz.

— Estou lhe devendo um favor — disse Carl a Schascha. — Não importa qual. Você acaba de salvar a carreira de um escritor.

Carl e Schascha saíram de fininho, porque não queriam interromper a onda de felicidade d'O Leitor. O sentimento também percorria Carl, em uma intensidade que seu corpo idoso talvez não fosse capaz de processar. Na praça da Catedral, despediu-se calorosamente de Schascha, que saiu correndo para a escola. Para celebrar o dia, Carl comprou um Silvaner da famosa vinícola Würzburger Stein, e, na mesma tarde, bebeu algumas taças. Depois, leu seu romance predileto, *Uma real leitora*, de Alan Bennett, um pequeno livro de um grande autor. Era uma leitura que ele só se permitia uma vez por ano. Ansiava por ela como um *gourmand* anseia pela temporada de aspargos.

Aquele tinha sido um dos dias mais felizes da sua vida até então. Mas, às vezes, essa mesma vida não nos permite apreciar tamanha felicidade sem cobrar um preço. Como se dissesse que não devemos nos acostumar.

De volta à livraria, naquela mesma tarde Sabine chamou Carl para uma conversa em sua sala. Ele se sentou, mas ela permaneceu de pé.

— Tenho algo maravilhoso para lhe contar — disse Carl, querendo compartilhar com ela a experiência da manhã.

Sabine certamente ficaria feliz em saber quanta felicidade a sua livraria podia proporcionar às pessoas, certo?

Nenhuma reação.

— Antes que o senhor fique sabendo pelos outros, aviso que o enterro será para um grupo mínimo de pessoas, só mesmo a família mais próxima. É o que meu pai teria desejado. Por favor, não se aproxime da sepultura até tudo terminar. Também dispensamos coroas de flores.

— Mas a cidade inteira vai querer se despedir de Gustav! — disse Carl, mal conseguindo se manter sentado. — E certamente o cemitério ficaria lotado. Ele adorava todos os clientes.

Bem, não todos, mas a maioria. Ninguém ama todo mundo, nem mesmo alguém com tanto senso de humor quanto Gustav.

— Essa era a vontade dele.

— Não acredito nisso — disse Carl, sem pensar.

— Bem, então o senhor está dizendo que estou mentindo?

— Não, só estou dizendo que você provavelmente entendeu mal a vontade dele.

— Não, não foi isso que o senhor disse. Para mim a conversa está encerrada, e aviso que, daqui para a frente, o senhor deveria pensar muito bem antes de me acusar.

Sabine saiu do escritório, deixando Carl sozinho. E ele, de fato, se sentia sozinho como nunca antes se sentira ali, naquela livraria que também era sua.

A solidão só aumentou na movimentada praça da Catedral, onde Schascha deveria se encontrar com ele. Carl esperou bastante tempo, procurou-a por tudo que era canto, chegou até a chamá-la pelo nome em meio à multidão. Sem sucesso, percebeu que teria de fazer seu passeio sozinho. Passou pelas casas de clientes que não tinham encomendado nada, pensando que talvez ela o aguardasse na casa de Mister Darcy, de Effi ou d'O Leitor. Carl olhou até para a viela escura que tanto temia. Nem sinal de Schascha. Nem Canino apareceu. Em seu último encontro, Carl não lhe dera nenhum petisco. Ao que parecia, o afeto cessara.

Quando retornou à praça da Catedral, ainda não havia nem sinal de Schascha.

Algumas pessoas não conseguem comer quando estão tristes. Já Carl não conseguia ler. Para ele, era possível comer no modo automático, mas ler, não. Tentou várias vezes naquela tarde, desejando levar seus pensamentos para outro mundo, mas eles se agarravam ao aqui e agora. Desde que aprendera a identificar palavras a partir de uma sequência de letras, Carl não se lembrava de ter passado um único dia sem ler alguma coisa. Mas ler é uma atividade com vontade própria. Não dá para forçar.

De volta à livraria no fim da tarde, Sabine tentava, em vão, acalmar um homem de macacão que gesticulava muito. Seus gritos faziam vibrar as grandes vidraças. Embora acontecesse aos montes nos livros, era raro presenciar comportamentos como aquele em livrarias.

Ao sair da livraria, o homem ainda tentou bater a porta com força, mas esta resistiu e se fechou suavemente, como sempre.

Carl entrou admirado, balançando a cabeça. O sininho de entrada nem tinha acabado de soar quando Sabine mandou que ele fosse até sua sala, sem lhe dirigir o olhar.

Carl não teve tempo de se sentar, nem sequer de respirar direito. Mal ficaram a sós, Sabine soltou uma frase curta. Três palavras apenas, oito sílabas, mas que causaram mais impacto do que um livro inteiro.

— Você está demitido — disse ela, a voz trêmula de raiva.

— Como assim? Por quê?

— Não preciso nem quero me justificar.

Sabine estava atrás da sua mesa de trabalho, como se esta fosse uma barreira de proteção.

— Trabalho até quando? — Carl conseguiu perguntar.

De certo modo, e com temor, ele havia esperado por isso. Só não pensou que seria tão cedo, nem que lhe pareceria tão irreal.

— Hoje é seu último dia. Informarei aos clientes sobre a sua saída por telefone.

Então era isso: depois de todos aqueles anos, Carl desapareceria como um livro que termina no meio de uma frase, sem sentido. Não podia ser verdade.

— Por favor, deixe que eu mesmo cuido disso, sim? — pediu ele, e, como Sabine não disse nada, acrescentou: — Assim, não incomodo mais, e informarei a todos que foi uma decisão conjunta. Se preferir, posso até dizer que eu mesmo pedi demissão.

Sabine nem sequer respondeu. Apenas apontou para a porta. E, assim, chegava ao fim a carreira de livreiro de Carl Kollhoff.

Saber que se está fazendo alguma coisa pela última vez confere um caráter especial mesmo aos atos mais simples. Carl nunca dobrara o papel de embrulho com tanta perfeição, com tanto capricho. Guardou o livro de Effi para o final, embrulhando-o com todo o cuidado e carinho, como se fosse um recém-nascido. Ao segurá-lo, se deu conta do peso mínimo. A história de uma vida inteira condensada em não mais do que alguns gramas.

Carl sentiu que lhe faltava o ar ao deslizar o embrulho para dentro da mochila. Era mesmo um velho muito tolo! Afinal, ele sabia que um dia precisaria deixar o trabalho, só havia esperado que isso nunca acontecesse. Também sabia que um dia morreria, mas não conseguia imaginar esse momento. Tivera décadas para se acostumar à ideia, mas certas coisas requerem mais tempo, milênios até.

Carl observou aquela sala dos fundos, sem janela, abarrotada de pilhas de catálogos de editoras e livros à espera de serem enviados, material promocional sobre novidades que não eram mais novidade havia tempo. Aquele lugar sempre lhe parecera um abrigo, caloroso e seguro.

Saiu pelos fundos mesmo.

Mais uma vez esperou Schascha em vão, só que por muito mais tempo. Mas, pensando bem, era bom que ela não o acompanhasse naquele dia, pois sua presença só tornaria tudo ainda mais difícil. Schascha não teria permitido que Carl reprimisse a tristeza como se fosse uma convidada indesejada. Ele queria muito que aquela última ronda com uma mochila repleta de livros nas costas fosse um passeio normal, como sempre fora. Um passeio sem melancolia, apenas seguindo o ritmo tranquilo da rotina. Carl foi caminhando no mesmo passo de sempre, nem rápido nem devagar, e não hesitou ao apertar pela última vez a campainha de Mister Darcy, o primeiro cliente da última ronda. Carl achou aquilo bom. Correspondendo ao bom cavalheiro britânico que o apelidava, Mister Darcy certamente aceitaria a despedida com serenidade.

Vistas em um microscópio, as lágrimas de emoção são diferentes das que são produzidas por um cisco, ou quando cortamos cebolas, diferentes também das que servem apenas para lubrificar e proteger o globo ocular. E, pelo que se sabe, os animais não são capazes de vertê-las: chorar é tipicamente humano. Por esse ponto de vista, Carl podia muito bem ter deixado de ser humano havia muito, porque desaprendera a chorar.

Era esse o pensamento que passava pela cabeça dele quando Mister Darcy abriu a pesada porta de entrada.

— Senhor Kollhoff, tudo bem? O senhor está chorando?

— Chorando? Eu?

Carl não percebera que havia começado a chorar. Enxugou as lágrimas com as mãos e olhou para a ponta dos dedos úmidas.

— Ora, é verdade.

— Caiu alguma coisa no seu olho?

Mister Darcy torcia por uma resposta afirmativa, visto que não tinha muita experiência com palavras de consolo.

— Sim, alguma coisa no canal lacrimal — disse Carl, evasivo.

Então, sacou o livro de Mister Darcy da mochila e o entregou com mãos trêmulas.

— Vejo que hoje o embrulho foi feito meticulosamente.

— Fiquei com vontade de caprichar.

— Meu dia sempre melhora quando o senhor vem me trazer um livro. E quando começo a leitura, sempre parece que estou prestes a fazer um novo amigo.

Mister Darcy olhou em volta.

— Falando em amigos, hoje veio sem Schascha? Será que a deixei tão entediada com o relógio de flores que ela não quis mais voltar?

Carl não queria pensar no assunto.

— O que achou de *Orgulho e preconceito*?

— Maravilhoso! Li três vezes seguidas, fiquei totalmente imerso. Sabe por quê?

— Por ser um livro muito bem escrito, suponho?

— Por isso também, mas, principalmente, porque me identifiquei com um personagem.

— Ah, é?

— Sim, com Charles Bingley. Sou mais velho do que ele, é claro, mas de resto somos muito parecidos. O senhor sabia disso quando escolheu esse livro para mim, não?

Carl sorriu, cansado.

— Existe uma boa diferença entre o que a gente sabe e o que a gente acha que sabe.

— Quer entrar um pouco? — perguntou Mister Darcy, abrindo a porta. — Podemos conversar sobre o livro.

— Infelizmente não posso. Preciso entregar muitos livros hoje. Mas da próxima vez será um prazer.

"Isso se alguém ainda for querer conversar com um ex-livreiro", pensou Carl.

— Tem outra coisa que preciso lhe dizer... — Ele respirou fundo. — É que a partir de hoje...

— Sim?

Carl sentia a boca seca, o coração seco, seu mundo inteiro seco.

— Tem certeza de que não aceita um uísque, sr. Kollhoff?

— A partir de hoje... — recomeçou Carl, fechando os olhos. — Daqui em diante...

A garganta deu um nó, as cordas vocais travaram, o corpo inteiro se recusou. Carl simplesmente não conseguia falar a verdade; então, decidiu se refugiar em uma mentira.

— A partir de hoje, certamente terei um tempinho para mim. Quem sabe quanto nos resta, não é mesmo?

— O senhor está doente?

— Minha única doença é a tal da velhice. Bem, agora preciso ir. Desejo tudo de bom ao senhor.

Pela primeira vez, Mister Darcy pousou a mão no ombro de Carl.

— Eu lhe desejo a mesma coisa, sr. Kollhoff. De coração.

Mister Darcy não sabia o que preocupava Carl, mas sentiu que havia algo muito errado com ele. Mas, como ele mesmo não gostava de ser forçado a se abrir, deixou o livreiro em seu silêncio e se limitou a entregar um papelzinho com a próxima encomenda anotada.

Carl saiu caminhando de cabeça baixa, como se um corvo tivesse pousado nela.

— Como sou tolo — disse para Schascha, que nem estava ali. — Como se eu pudesse sustentar essas mentiras. A verdade é um cão farejador. Vai me encontrar quanto antes.

Na curva adiante, Canino surgiu, "latindo" para saudá-lo. Seria a vida dando um recado?

— Olá, amigo — cumprimentou, acariciando a cabeça do gato. — Gosto muito mais de você do que da verdade, sabia?

Carl deu uma batidinha no bolso da calça, indicando que estava vazio.

— Mas, infelizmente, não tenho nada pra você. Achei que não viesse mais.

Canino permanecera a seu lado, em mais de um sentido. De repente, o livreiro teve a sensação de não mais estar em uma cidade com milhares de habitantes, mas em uma aldeia que só ele conhecia, a aldeia dos leitores. As fileiras de casas pareciam o fole aberto de um acordeão, geminando-se somente quando este se fechava antes do próximo acorde. Quanto mais caminhava, mais imperceptíveis tornavam-se os espaços entre elas, os habitantes desapareciam. Não fazia diferença se precisava andar dois ou cem passos de uma casa a outra, porque todas faziam parte de um conjunto. Os habitantes desconheciam essa conexão. Só Carl sabia dela.

Nas casas dos demais clientes, o ciclo se repetiu. Na de Effi, cuja campainha voltara a funcionar e cujo rosto parecia imaculado, embora os olhos estivessem tristes como se fossem nuvens de chuva; na casa da sra. Meialonga ("Na cozinha ardia o fogo da ladeira"); na do Doutor Fausto, que havia pendurado o calendário de cachorrinhos de Schascha, mas que continuava desconfiado de sua ancestralidade lupina; na de Hércules, que explicou a Carl as letras de A a D com grande entusiasmo, como se a humanidade tivesse acabado de descobri-las; no convento, onde a irmã Amarílis confessou seu fraco por *serial killers*, principalmente os que cometiam assassinatos segundo uma interpretação própria da Bíblia; e até na d'O Leitor, que agradeceu a Carl com um exemplar encadernado manualmente de *O tango silencioso* e contou que a chefe tinha ficado tão encantada que o convidara a repetir para ela o maravilhoso primeiro capítulo (com a cena do baile, que emanava sensualidade).

Para todos eles, era simplesmente mais um dia em que Carl Kollhoff, o livreiro, passaria por suas casas entregando encomendas. Para Carl, aquele dia era como um eco de uma vida que não existia mais.

Chegou em casa tremendo de medo, como se a mão gigantesca de alguém o espremesse para extrair até a última gotinha de alegria.

Capítulo 6

Rastros

Carl começou a arcar com o custo dos livros.

Como os clientes depositavam os valores diretamente na conta da livraria, ele não obtinha, portanto, lucro algum com a operação. Seu esquema só seria descoberto quando a simpática contadora da Lovenberg, Müller & Czöppan fechasse o ano fiscal da livraria.

Para poder comprar as novas encomendas, Carl passou a vender seus próprios livros. A cada dia, um por um, seus amigos de papel de longa data iam desaparecendo. Carl não tinha coragem de levá-los pessoalmente ao sebo de Hans; preferia pagar a Leon para que o fizesse após o expediente na livraria. Hans pagava muito pouco por seus tesouros. Às vezes, um livro novo chegava a custar mais de vinte velhos. Paralelamente, na tentativa de ajudar a melhorar um pouco o ânimo de Carl, os clientes vinham encomendando cada vez mais títulos.

Carl assistiu ao enterro de Gustav a distância. Avistou o grupinho de três pessoas que acompanhava a última viagem do livreiro. Carl esperou que todos saíssem para se aproximar do túmulo e presentear o velho amigo com alguns volumes dos faroestes de Karl May. Certamente seus bravos heróis, Winnetou e Old

Shatterhand, cuidariam bem dele. *Papel é carbono*, pensou, *nós, humanos, somos feitos da mesma matéria que os livros.*

Além de vendê-los para obter recursos, Carl também continuou presenteando os clientes com livros, o que fazia suas prateleiras se esvaziarem mais rápido ainda. Mister Darcy ganhou todos os romances de Jane Austen. E Effi — depois de livros sobre mulheres que abandonavam o marido — recebeu romances policiais sobre mulheres que assassinavam o marido, de preferência com veneno. Naturalmente, Carl não pretendia encorajá-la a tal, sua intenção era apenas demonstrar um possível desfecho caso ela não deixasse o marido quanto antes.

— Não precisa mais me trazer esse tipo de livro, sr. Kollhoff. Está tudo ótimo comigo — disse Effi certa vez.

Estava, no entanto, seguindo ordens do marido. Matthias vasculhara os exemplares, lera as sinopses e jogara todos fora, junto com os livros preferidos de Effi.

— Acho que o senhor teve uma impressão errada — continuou Effi.

Pela fresta da porta, Carl notou que já não existiam mais flores na casa de Effi. Era uma casa sem vida, e a mulher abreviou o encontro quanto pôde. Eram muitas mentiras sendo contadas de uma só vez, e não eram tão bem embrulhadas quanto os livros.

Sozinho diante da porta fechada, Carl sentiu muita falta da conversa animada de Schascha, uma roda movida pela água de um riacho em um dia de sol cintilante. Por isso, começou a conversar internamente com ela.

— Ela está mentindo — disse a Schascha de sua imaginação.
— A gente não entendeu errado.

— Eu sei, mas antes de estar mentindo para nós, ela está mentindo para si mesma.

Quando os passos de Carl ficavam mais lentos, a Schascha imaginária o animava a seguir em frente, dizendo coisas como "Vamos acelerar, senão os livros podem passar mal". E, ao chegarem perto da sorveteria: "Nada de sorvete, você vai precisar do dinheiro para comprar livros. São alimentos bem mais duráveis."

Carl se deu conta de que as coisas não podiam mais continuar daquela forma, pois ele precisava da Schascha de verdade. Mas como? Não poderia telefonar ou ir até a casa dela, porque a garota jamais lhe dissera o nome completo nem onde morava.

Decidiu então que, no dia seguinte, visitaria algumas escolas e ficaria de olhos bem atentos. Perguntaria às crianças da mesma faixa etária por uma menina de cabelo escuro e cacheado. Afinal, qualquer uma que tivesse conhecido Schascha jamais a esqueceria.

Carl havia escalado o monte Everest; mergulhado nas profundezas da fossa das Marianas; cruzado o Curdistão selvagem e se aventurado na Antártica gelada. Os livros haviam permitido que fizesse tudo isso, mas, felizmente, o haviam poupado da realidade das escolas alemãs.

Que loucura era aquele universo! Todos aqueles humaninhos correndo de um lado para outro! Quando criança, Carl certa vez encontrara um formigueiro na floresta e passara semanas observando-o. Mas até aquele negócio confuso parecia seguir uma espécie de ordem interna. O pátio da Escola de São Leonardo reproduzia com exatidão a teoria do caos.

A caminho da entrada, Carl quase foi atropelado por um grupo de crianças. Mas, pior do que a confusão, era a gritaria. Ler é uma atividade silenciosa. Quando as páginas nos falam dos elefantes com os quais Aníbal atravessou os Alpes em 218 a.C., os bramidos dos animais não fazem tremer a janela da sala, e mesmo que os blindados da Divisão Fantasma do general Erwin Rommel estejam cruzando a linha Maginot perto de Maubeuge, ainda assim nossa respiração é o barulho mais alto. Ler é como escutar com os olhos.

Quando Carl finalmente conseguiu entrar no prédio, parou um pouco, encostou em uma parede e respirou fundo. Ao chegar à secretaria, foi informado de que não era permitido fornecer quaisquer informações sobre os alunos; então, Carl decidiu perguntar diretamente às crianças.

Naquele exato momento, o sinal anunciou o fim do recreio e o corredor foi inundado por uma enchente de crianças. Um menino da idade de Schascha veio trotando em um ritmo mais lento, e Carl conseguiu abordá-lo.

— Oi. Você conhece a Schascha?

— Nossa, que nome engraçado é esse? — retrucou o menino.

— Achei que era um nome moderno, assim como Vera ou Carmen foram antigamente.

— Não tem ninguém aqui na escola com esse nome. Tenho de ir para a aula de Geografia, tchau.

O garoto se esquecera mais uma vez de fazer o dever de casa, mas não disse isso àquele velhinho esquisito.

Carl imaginou que Schascha estivesse no quarto ou quinto ano do Ensino Fundamental. Ele havia assinalado todas as escolas no mapa da cidade. Eram sete no total, e a Escola de São Leonardo tinha sido só a primeira. Carl não tinha certeza se seus ouvidos e nervos aguentariam todas...

Nas escolas seguintes, poupou-se de ir à secretaria e falou diretamente com os alunos que ficavam no pátio durante os intervalos. Perguntou a alunos mais novos e mais velhos, sempre tentando descrever Schascha da melhor forma possível.

Conseguiu enfrentar todo o roteiro de escolas. Na penúltima, a Escola Pestalozzi, já tinha interpelado três alunos quando um inspetor — com a jaqueta impermeável fechada até o pescoço — surgiu diante dele.

— Posso saber quem ou o que o senhor está procurando aqui?

— Olá. Eu estou procurando pela Schascha — respondeu Carl. — É uma menina de uns nove anos, de cabelo escuro cacheado e...

— Aqui não tem nenhuma Schascha — interrompeu o homem. — Por favor, saia imediatamente do pátio da escola e pare de abordar nossos alunos, senão vou chamar a polícia.

— Mas...

— E quem seria essa Schascha? Não deve ser sua neta, porque nesse caso o senhor saberia a escola em que ela estuda.

— Ela é...

Carl ficou parado, mudo. O inspetor o agarrou pelo braço.

— O senhor está confuso? Perdido? Devo ligar para alguém?

— Sim. Não — respondeu Carl, o que soou apenas mais confuso. — É melhor eu ir andando.

— Sim, faça isso — disse o inspetor, dando um tapinha nas costas do livreiro.

Como a sétima e última escola já estava fechada àquela hora, Carl decidiu ver se encontrava Schascha na casa de algum de seus clientes. E como já não aguentava mais a sua falta, voltou a fingir que ela o acompanhava. Naquele dia, o casaco amarelo dela brilhava como se fosse novo. Sua mochilinha estava cheia, mas mesmo assim ela saltitava como se o pavimento fosse feito de borracha. Foi conversando mentalmente com ela por todo o caminho.

Primeiro foi à casa de Mister Darcy, em geral a primeira parada da ronda.

— Gosto muito de Mister Darcy, mais ainda do jardim dele — explicou Schascha.

— Então por que você não disse nada quando ele nos mostrou o relógio de flores?

— Ah, seu velhinho bobo — disse ela, com carinho. — É que naquele dia eu estava muito ansiosa para entregar o livro dele. Eu poderia muito bem estar sentada naquela espreguiçadeira.

Na casa da sra. Meialonga, Schascha disse:

— Com certeza estou aqui.

— Na casa de uma professora?

— A sra. Meialonga está aposentada. E os professores só são realmente maus dentro da sala de aula, porque lá a gente é obrigado a obedecer.

— Soou mal isso que você disse...

— Mas é a verdade, você só se esqueceu. A sra. Meialonga é legal. Ela é como um dragão que não consegue mais cuspir fogo. Eu me imagino tendo aulas com ela.

— Sem medo de morrer queimada?

— Acho que agora você entendeu.

Quando chegaram à casa de Hércules, Schascha já não tinha mais dúvidas:

— Que lugar melhor do que a casa de um moço fortão, que sempre oferece alguma coisa pra beber?

— Desde quando você fala "moço" em vez de "cara"? (Em alguns momentos, Carl se lembrava de que estava falando sozinho, mas sempre voltava rapidinho para a fantasia.)

— "Moço", "cara", dá tudo no mesmo. Estou começando a usar as suas palavras antigas, para ver se você me entende melhor.

— Obrigado, muito gentil da sua parte.

Carl seguiu para a casa de Doutor Fausto, porque Schascha queria muito ver de novo o calendário de cachorrinhos, principalmente os filhotes de *basset* no mês de setembro. E depois, para a casa d'O Leitor, a fim de que ele lesse para ela o texto da lição de casa. Quando chegou ao convento para visitar a irmã Amarílis, Schascha disse que com certeza ele a encontraria por lá, porque ela sempre sonhara em ser freira. Carl achou aquilo estranho, mas, vindo de Schascha, nem tanto.

Mas nenhum de seus clientes tinha visto a menina, e todos ficaram preocupados. Ao que parecia, não era só o coração de Carl que ela havia roubado.

Carl deixara a visita a Effi para o fim. Ou tinha sido Schascha? Ele não saberia dizer. Mas fato é que a sensação era a de estar se aproximando do último capítulo de um livro com a preocupação de que o desfecho não estivesse à altura da expectativa.

— Por que eu estaria na casa de Effi? — perguntou Schascha.
— Ela é muito triste, e tenho medo do marido dela.

— Ora, você é corajosa, tem bom coração. E sei que quer ajudá-la.

— Você também tem bom coração, por que você mesmo não a ajuda?

— Porque eu tenho medo — respondeu Carl, puxando a aba do chapéu mais para baixo. — É por isso que vivo exatamente da mesmíssima maneira há décadas, exceto por uma ou outra coisinha, mudanças mínimas. É típico de gente medrosa.

— Mas eu não sou uma coisinha!

— Não mesmo — disse Carl. — Agora vamos, toque a campainha.

Schascha colocou o dedo apontado no peito de Carl.

— Você também está com medo?

— Toque logo.

Effi demorou a atender. Dessa vez, não os aguardava atrás da porta; vinha da direção do porão. A aparência imaculada de costume dera lugar a olheiras e a uma vermelhidão na pele.

— Senhor Kollhoff? O que aconteceu? O senhor nunca vem nesse horário.

— A senhora por acaso viu Schascha?

— Não. Aconteceu alguma coisa?

— Sim, bem, é que tenho sentido falta...

Naquele momento, Carl se deu conta da dimensão da situação. Se nenhum de seus clientes a vira, Schascha poderia mesmo estar desaparecida? Algo havia acontecido?

— Você por acaso leu alguma coisa no jornal ou escutou no rádio?

Effi fez que não, e perguntou:

— Será que ela não foi até a sua casa?

O impacto do medo que Carl sentiu na barriga foi como se tivesse levado uma bolada.

— Sempre nos encontrávamos na praça da Catedral.

— Com certeza está tudo bem. Quem sabe ela não foi para alguma excursão do colégio?

— Ela teria me contado. Schascha não é o tipo de menina que deixa de aparecer de uma hora para outra. É confiável.

Effi segurou as mãos de Carl com carinho.

— Poxa, sr. Kollhoff, eu gostaria muito de ajudá-lo a procurar Schascha, mas a verdade é que eu não...

Effi se interrompeu.

— Me desculpe.

E, com isso, ela fechou a porta.

Ninguém disse mais nada. Silêncio da parte de todos, até da Schascha imaginária. Carl cancelou as visitas que faria na parte da tarde.

Parar com a ronda de entregas foi como tirar uma pequena pedrinha da construção meticulosa que era a vida de Carl. Aquela pedrinha, no entanto, era a que mantinha toda a estrutura de pé. Ele só conseguiu pegar no sono tarde da noite e, no dia seguinte, não escutou o despertador. Quando acordou e olhou para os ponteiros, vestiu-se rapidamente e foi até a última escola sem fazer a barba ou tomar café. A ronda pelas escolas na véspera tinha sido muito estressante; então, tentou se acalmar lembrando que, naqueles ambientes, de certo modo estava rodeado de livros, estivessem eles nas mochilas ou nas carteiras dos alunos. Mesmo que fossem livros didáticos — de forma alguma escritos com o intuito de tranquilizar.

Quando o sinal do primeiro intervalo soou na Escola Carl Orff e os alunos vieram correndo para o pátio, Carl se postou ao lado da porta dupla e chamou o nome de Schascha sem parar. A cada casaco amarelo, ele estremecia e gritava mais alto. A cada cabelo escuro e cacheado, esticava a cabeça, tentando ver melhor. Quando o fluxo de crianças começou a diminuir, Carl passou a abordar alguns alunos. Na verdade, sem se dar conta, começou a brigar com eles. "Schascha tem de estar aqui, me diga logo onde posso achá-la!" Ou: "Schascha ainda estuda aqui? Ela está doente? Você deve saber!"

Ninguém soube responder, mas todo mundo soube sair correndo para longe dele. Dessa vez, Carl foi enxotado por um zelador que chegou empunhando uma vassoura, como se estivesse praticando alguma arte marcial asiática cujos golpes eram muito dolorosos.

No supermercado mais próximo, Carl vasculhou a seção de vinhos da Francônia, mas acabou escolhendo um da prateleira inferior, um italiano de mesa mais barato, em uma embalagem econômica. Nada de deslizar os dedos por uma agradável garrafa bojuda. Mal pôs os pés na rua, Carl abriu a embalagem e tomou um gole.

Na volta, passou pela cerca de madeira da Escola de São Leonardo. As risadas e a gritaria das crianças lhe soaram como um gesto de escárnio, e Carl virou o rosto. Com a visão periférica, vislumbrou o movimento de algo amarelo, mas não deu muita atenção.

Até que uma voz infantil gritou:

— Devolve o meu livro!

A frase fez Carl parar imediatamente. Como se um livro correndo perigo em algum lugar fosse sempre de sua conta.

E então, lá estava ela, sem o casaco amarelo. A voz que gritara não era dela, no entanto, mas de um garoto ruivo que tentava desesperadamente pegar um livro que um menino maior mantinha no alto, fora de alcance.

Carl conseguiu fazer a leitura dos lábios de Schascha quando disse:

— Passeador de Livros!

Ela veio correndo até a cerca.

— Você estava me procurando, não é?

Carl se sentia como uma garrafa de champanhe sem rolha, transbordando de felicidade. O coração chegava a doer.

— Fiquei preocupado, mas agora te encontrei.

Schascha o abraçou através da cerca.

— Senti tanto a sua falta, sabia?

— Eu também!

— E eu mais ainda! Uma saudade até a Lua e de volta!

— Essa frase é de um livro.

— Mas é verdade — disse ela.

— Ontem perguntei por você, mas parece que ninguém te conhece.

— Perguntou por Schascha?

— Ora, é claro.

Ela sorriu.

— É que aqui não existe nenhuma Schascha.

— Como assim?

— Meu nome de verdade é Charlotte. Sou Schascha só para você. Eu sempre quis que minhas amigas me chamassem assim, mas o apelido não colou.

Era verdade, mas ao mesmo tempo não era. Charlotte inventara uma super-heroína porque os meninos da turma B sempre se gabavam com seus Capitães América e Homens de Ferro durante o intervalo. Então, ela havia criado Schascha, a mulher que, em sua capa vermelha esvoaçante, sobrevoava a cidade e soltava raios *laser* amarelos pelos olhos.

E a aparência de Schascha era igual à da mãe de Charlotte naquela foto com moldura preta que ficava na cômoda do corredor. Charlotte costumava colocar em volta do porta-retratos florzinhas do campo, que ela colhia na volta da escola.

— Muito prazer em conhecê-la, Charlotte — disse Carl, fazendo uma reverência. — É uma honra poder chamá-la de Schascha.

— Concordo.

Carl jogou na lixeira a embalagem de vinho ainda cheia.

— Por que você não tem mais ido me encontrar?

— Não pude mais ir — disse Schascha.

Era verdade, mas ela omitiu uma parte importante. A diretora da escola telefonara para o pai de Schascha depois das duas aulas que ela perdera, no dia da visita à fábrica de charutos. Schascha admitiu tudo, e então o pai proibiu que ela voltasse a passear com Carl para entregar livros. De nada adiantou chorar e implorar, nenhuma das centenas de cartinhas com coraçõezinhos que ela deixava para ele, nem os cafés da manhã na cama com torradinhas em formato de árvore de Natal, nem as sopas industrializadas que ela incrementara para servir no jantar.

Schascha falava pelos cotovelos, é verdade, mas, mesmo assim, não disse o motivo pelo qual se ausentara por tantas tardes. Mudou de assunto.

— Essa é a Jule, minha melhor amiga para sempre, pelo menos até agora. Ela disse que sabe quem você é, e disse que você tem um pescoço esquisito, parecido com o do avô dela.

— Minha papada — disse ele, passando a mão pelo pescoço. — Bem, é preciso ser mesmo bem velhinho para ter uma dessas. Os jovens não saberiam usá-la como se deve.

— Usar? Mas como?

— Só com uma papada dessas você consegue fazer isso aqui, ó!

Carl agitou os braços como se fossem asas, e começou a fazer "glu-glu". A felicidade de rever Schascha deixou Carl mais bêbado do que qualquer vinho barato teria conseguido. A menina deu gargalhadas, mas logo ficou nervosa e olhou em volta para checar se alguma colega tinha presenciado a cena.

O menino ruivo apontou para ela e gargalhou.

— Aquele é o Simon, certo? — perguntou Carl. — O menino que sempre empurra você?

Schascha assentiu, hesitante.

— Mas não vai dizer nada, por favor.

— Claro que não. Eu resolvo isso de outro jeito.

— Com livros? — perguntou ela.

— Isso mesmo. Você sabe o endereço dele? Agora que o vi pessoalmente, sei qual é o livro certo para ele.

Schascha anotou o endereço de Simon no dorso da mão de Carl.

— Mas nada que me faça pagar mico, está bem? Por favor.

Nesse momento, o sinal tocou.

— Preciso voltar à aula.

— Você vai me ajudar hoje?

Schascha estreitou os lábios.

— Claro.

— À tarde?

Ela assentiu devagar e não disse mais nada. Em seguida, cruzou o pátio até a porta de entrada, cuja tinta vermelha já estava descascada em vários lugares.

Na volta, Carl passou numa lojinha minúscula que vendia flores de papel de seda e entrou por impulso. Pediu à vendedora flores que crescessem na Ilha do Tesouro, no Velho Oeste ou no Mississippi, onde vivia Huckleberry Finn. A vendedora não sabia se cresciam lá, mas lhe ofereceu rosas, tulipas, papoulas e cravos, que eram as únicas flores que tinha. Carl escolheu uma de cada, uma de cada cor porque Gustav fora uma pessoa de muitas cores. A vendedora embrulhou-as cuidadosamente quando Carl lhe contou que as levaria para o cemitério. Mas, infelizmente, também o avisou que, expostas ao tempo, as flores perdiam as pétalas mais rápido do que as flores de verdade.

— Não tem problema — retrucou Carl. — Só quero dar uma alegria a um velho amigo.

Gustav vira papel em várias formas e estampado com muitas palavras, mas certamente nunca em forma de flores.

Assim que fechou o portãozinho do cemitério ao entrar, Carl avistou Sabine junto ao túmulo do pai. Por isso, virou à direita e sentou-se no banco de ferro onde se sentara com Schascha certa vez, no dia em que ela mostrara as anotações no diário sobre os livros que fariam os clientes felizes. O banco estava próximo do túmulo de Gustav, mas escondido por trás de uma sebe. Dali, só era possível avistar o que havia além sentando-se num ângulo apropriado.

Sabine estava ajoelhada diante do túmulo, decorado apenas com uma cruz de madeira provisória.

— Veja — disse ela, colocando nervosamente uma mecha de cabelo para trás da orelha. — Vai ser assim: a lápide será em forma de um livro aberto, e haverá um texto gravado nela contando sobre a sua vida. Mas sei que, mesmo que eu tenha vindo aqui para lhe mostrar algo bonito, você deve estar me recriminando por causa do enterro.

Sabine amassou o esboço e o colocou no bolso do casaco.

— Só que eu realmente achei que era o certo a se fazer. Só na hora, quando percebi que éramos tão poucos, foi que senti falta das pessoas, e achei que você merecia mais. Você sempre gostou de ter muita gente ao seu redor, não é? Sinto muito, está bem?

Ela arrancou um matinho sobre o túmulo.

— Tem horas que nem eu mesma me suporto. E não devo ser a única. O que sei é que passei a vida toda tentando acertar para que você se orgulhasse de mim, e agora isso nunca mais será possível, não importa quanto eu me esforce. Eu e você tivemos nossas oportunidades, e nenhum dos dois aproveitou. Acho que simplesmente me falta esse seu gene dos livros. Por mais que eu me mate de trabalhar, nunca serei como você ou o seu adorado Carl. Para quem, aliás, eu ainda sou uma garotinha. Sabia que uma vez ele foi até a escola reclamar com a minha professora por ter me dado uma nota ruim quando ele achava que eu merecia mais? Todo mundo ficou sabendo, passei uma vergonha enorme. Com certeza a intenção foi boa, mas eu nunca pedi nada a ele. Até hoje. Eu não preciso da ajuda de Carl, posso resolver as coisas sozinha. Por favor, pare com esse sorriso amargo, papai! Será que nem depois de morto você consegue ser um pouco compreensivo comigo? Não, não é? Você nunca conseguiu.

O olhar de Sabine se ergueu do túmulo para o céu azul, e ela respirou fundo.

— Você se lembra de que ficava chateado porque eu enchia as últimas páginas brancas dos seus livros com desenhos? Sempre com imagens que combinassem com o título. A de *Gato e rato*, de Günter Grass, até ficou boa, mas você ficou furioso porque eu maculei seu adorado livro. Por Deus, eu era só uma criança... Mas era impossível competir com seus livros.

Sabine se levantou e fechou o casaco ruidosamente.

— Fico me perguntando: por que você precisou morrer para que eu conseguisse dizer tudo isso? Mas sabe o que é mais triste? Eu também amo livros, mas eles nunca foram, nem serão, o maior motivo da minha felicidade. E eu nunca vou conseguir perdoar você por isso.

A filha de Gustav hesitou brevemente; depois, correu a mão pela cruz de madeira e foi embora. Carl esperou até Sabine sair do cemitério antes de se aproximar e colocar as flores de papel no túmulo do velho amigo. Gustav certamente precisaria de algum tempo para processar as palavras que acabara de ouvir. Gustav sempre temera que Sabine não fosse capaz de administrar o negócio, e por isso nunca a instruíra a respeito de nada, achando que um dia ela compreenderia. Agora, entendendo que aquilo fora um erro, Gustav não tinha mais tempo para mudar nada. A história daquele pai e daquela filha tinha ali seu ponto final.

À tarde, Carl continuou esvaziando prateleiras. Em pouco tempo estaria vivendo completamente sozinho. Se no começo ainda olhara para cada livro para sentir quão próximo estava do seu coração, agora todos iam para grandes caixas de papelão sem serem vistoriados, nas quais ficavam à espera de Leon. O lucro da venda daquele lote cobriria mais uma ronda de entrega de livros novos.

Carl chegou à praça da Catedral mais pontualmente do que nunca. Schascha chegou um pouco sem fôlego, mas muito bem-humorada. O pai se encontraria com um colega do trabalho, mas, antes de sair, havia preparado bolinhos de batata, acompanhados de ervilhas, cenourinhas e muito molho para o jantar. Além disso, dera a ela um presente por ter cumprido sua ordem de não mais se encontrar com Carl. Como queria ensiná-la a jogar xadrez, a presenteara com um tabuleiro. Não fizera muito sucesso. No ano anterior, Schascha já havia comentado que achava o clube de xadrez da escola muito chato.

Ela torcia para que o presente que levara para Carl fosse melhor.

— Aqui, eu trouxe isso para você.

Era uma folha de papel A4 enrolada e presa com uma fita vermelha.

— É para abrir agora?

— É claro! Quero ver a sua reação!

Carl soltou a fita e desenrolou a folha com cuidado. Antes que tivesse tempo de observar o presente, Schascha foi logo explicando o desenho feito a lápis de cor.

— Esse rato aqui no meio é você, que é o rato de biblioteca. Do seu lado é o Canino e em volta são os seus amigos. Consegue reconhecer todos?

— Ora, este aqui é Mister Darcy — disse Carl, apontando para outro rato, diante de uma mansão. — Esta aqui com as flores é Effi; este aqui com os halteres é Hércules; este com o charuto é O Leitor; o seguinte é Doutor Fausto, com os óculos gigantescos; esta aqui vestida de hábito só pode ser a irmã Amarílis; e, por último, temos aqui a sra. Meialonga ensinando Hércules a ler. Que desenho lindo, Schascha.

— Gostou?

— Muito! Posso te dar um abraço?

— É claro. Nem precisa perguntar. Eu sempre abraço sem perguntar se posso.

A sensação de abraçar Schascha era ao mesmo tempo boa e esquisita para Carl. Já Schascha sabia abraçar muito bem. Como numa dança, em um abraço é sempre importante que ao menos um dos dois saiba conduzir.

— Sabe — disse Carl —, os ratos de biblioteca são animais raros, muito tímidos. Uma espécie em extinção que precisa ser urgentemente protegida.

— Eu protejo você!

— Schascha, posso pedir um favor?

— É claro.

— É que no desenho está faltando meu rato de biblioteca mais importante.

Schascha se desvencilhou do abraço e pegou a folha.

— Ué, de quem foi que eu me esqueci?

Carl riu.

— De você mesma, oras.

— Mas eu não sou importante.

— Você é, sim. A *mais* importante.

— Vamos ver quem chega primeiro na casa de Mister Darcy? — disse ela, e saiu correndo, mas logo parou, rindo. — Brincadeirinha. Você não tem a menor chance.

Então, Carl saiu correndo.

De fato ele não teve a menor chance, e estava sem ar quando chegou à mansão. Schascha não deu nem tempo para que ele recuperasse o fôlego, e já foi tocando a campainha.

Mister Darcy abriu a porta, radiante.

— "Quem não tem prazer com um bom romance, não importa se dama ou cavalheiro, deve ser insuportavelmente burro."

Diante do olhar questionador de Carl, ele acrescentou, sorrindo:

— É minha citação preferida de hoje. É de Mister Tilney, de *A Abadia de Northanger*.

E então os convidou a entrar.

— Preciso mostrar algo a vocês, sobretudo a você, Schascha.

A passos rápidos, Mister Darcy os conduziu por um corredor até a ampla sala, de onde se podia avistar pela janela o relógio de flores do jardim.

Carl e Schascha perceberam logo: Mister Darcy já não vivia mais sozinho. Instalara uma prateleira para guardar todos os romances de Jane Austen. Agora, Fanny Price, Anne Elliot, Catherine Morland, Elinor e Marianne Dashwood e, claro, Emma Woodhouse e Elizabeth Bennet estavam o tempo todo com ele. Embora não pudesse ter o prazer de contemplar aquelas damas enquanto elas liam, ele podia ler sobre elas.

A estante tinha o efeito de uma lareira, que, quando acesa, nos faz perceber mais intensamente o frio à nossa volta. Só quando passou a ficar perto dos livros, tão cheios de vida, foi que Mister Darcy se deu conta de quão sem vida eram os cômodos de sua mansão, o que para ele era ao mesmo tempo motivo de tristeza e alegria.

— Sentem-se — pediu Mister Darcy, e fez uma pausa. — Ora, deixemos de tanta cerimônia, sr. Kollhoff. Nós nos conhecemos há tanto tempo, não é mesmo?

Mister Darcy estendeu a mão para cumprimentá-lo.

— Meu nome é Christian.

Não, pensou ele, *seu nome é Fitzwilliam Darcy.*

— Carl.

— Bem, por favor, sentem-se — pediu ele novamente, parecendo muito mais animado do que de costume.

— Tive uma ideia na noite passada. Por que não criamos um clube do livro? Podemos até mesmo nos reunir como antigamente, quando todos ficavam em volta da fogueira, contando histórias. O fogo foi o que uniu o homem na Idade da Pedra, mas foram as histórias que criaram a civilização, não é mesmo? O que acham? Vamos colar uns cartazes? Tenho bastante espaço aqui em casa. No verão, os encontros podem ser no jardim... Depois da chuva, é claro.

Schascha se sentiu orgulhosíssima por Mister Darcy tê-la incluído naquele "nós". Sentiu-se dez anos mais velha. A ideia de conversar com outras pessoas sobre livros, no entanto, a fez se sentir dez anos mais cansada. Ela fazia aquilo o tempo todo na escola.

Carl não gostava muito de estar em grupo. Reuniões com muitas pessoas o deixavam inquieto. Além do mais, ele tinha suas rondas... Mas por quanto tempo ainda? Então, naquele momento, se deu conta de que inevitavelmente elas começariam a rarear. Sem mais livros que pudesse vender para comprar outros novos, não poderia continuar. Sua vida era executar aquela tarefa. Sem ela, sua vida não seria mais sua.

Sem conseguir mais suportar a ideia, Carl se levantou para ir embora.

— Infelizmente, precisamos ir.

— Mas o que o senhor achou da ideia?

— Ah, sim, sim. Acho que deveria colocá-la em prática.

— Com certeza! — enfatizou Schascha. — Vou contar pra todo mundo, nem precisa se preocupar com cartazes!

Carl começou a se dirigir rapidamente até a porta.

— Por favor, da próxima vez o senhor pode trazer os romances inacabados de Jane Austen? *Os Watsons*, *Lady Susan* e *Sanditon*. Estou viciado nela.

Mister Darcy queria começar o clube do livro justamente por eles.

— Claro! — respondeu Schascha.

Como Carl já estava longe, ela correu para junto dele.

— Por que você fugiu?

— Ainda temos muitos livros para entregar.

— Você está estranho, mais do que o normal.

— Então vamos caminhando, que caminhar ajuda — disse Carl —, pois a estranheza vai saindo pelos pés.

Schascha riu, mas só para tentar melhorar o clima. Ela conseguia rir ou chorar quando queria, mas, estranhamente, sentia-se melhor depois de chorar.

Carl batia com a ponta do guarda-chuva no pavimento. Estava irritado por não ser capaz de evitar o infortúnio que recaía sobre ele. Não havia saída para evitar o fim de seu tempo como livreiro.

Quando Canino se juntou a eles, Schascha ficou tão contente que teve vontade de sair pulando. Deu a ele um petisco em formato de ratinho que havia comprado especialmente para essa oportunidade. A moça do *pet shop* garantira que os gatos enlouqueciam com aquele petisco. Excepcionalmente nesse caso, Schascha torceu para que Canino fosse mesmo um gato.

— Vamos visitar Doutor Fausto hoje?

— Ele não encomendou nada. Por quê?

— Precisamos ir, quanto antes.

— Mas o caminho...

— Eu sei, mas precisamos. Porfavorporfavorporfavor.

— Você está de novo com aquela cara para a qual eu não posso dizer não.

— Exatamente. Vamos, então?

Rendido, pouco tempo depois Carl estava tocando a campainha na casa de Doutor Fausto. O homem atendeu, esfregando os olhos como se os dois em frente a ele pudessem desaparecer. Por alguns segundos ele pareceu matutar se tinha encomendado ou não aquele obscuro ensaio sobre a história de Moisés, cujo prazo de entrega era igualmente bíblico. Lembrou-se de que não. Uma obra exclusivamente composta de erros era um insulto ao seu intelecto.

— Que bálsamo revê-los — disse ele, porque adorava usar palavras antigas. — O que os traz aqui?

Carl olhou para Schascha.

— Precisamos da sua ajuda com esse gatinho aqui — disse ela. — Ele precisa de um lugar para ficar durante uma semana.

— Ah, é? E por quê?

Boa pergunta, pensou Schascha. Ela imaginara que Doutor Fausto diria imediatamente que sim e pegaria Canino nos braços com entusiasmo. Em sua fantasia, ele faria carinho no gato, que soltaria "latidinhos" de tanta alegria.

De repente, Schascha se lembrou do que havia acontecido com Simon naquela manhã na escola.

— Bem, é que ele está sendo perseguido por outros gatos do bairro, mesmo sendo totalmente inocente. Chamamos isso de *bullying*.

Ela entregou a ele a lata com os biscoitos.

— Aqui, o Canino adora.

— Canino?

— Aham, Canino é o gato. Amanhã eu trago a caixinha com areia; até lá, ele pode se virar com jornal velho.

— E por que você veio procurar logo a mim? Não tenho nenhuma experiência com animais domésticos.

— O senhor é o único cliente de Carl que mora longe do território dos outros gatos. Aqui o Canino estará seguro.

— Humm...

Muita gente teria estranhado aquele "humm", mas Schascha entendeu que seu argumento o havia convencido.

— Só por uma noite, então, para fazermos um teste? Ou duas?

— Está bem.

— Perfeito, muito obrigada! E não precisa se importar com os sons estranhos, é assim mesmo.

Schascha puxou Carl pela manga.

— Agora temos de ir, tchauzinho!

Carl se deixou ser puxado e quase tropeçou. Sentia como se tivessem cometido uma pequena infração.

— Você acha que isso vai funcionar, Schascha?

— Talvez. Se não funcionar, pelo menos tentei levar um pouco de alegria para ele. Se Canino não conseguir fazer com que ele deixe de ter medo de cachorro, quem mais poderá?

— Mas Canino é um gato.

— Exatamente por isso.

Ouviram gritos vindos da casa de Effi, tão altos que os pombos saíram em revoada do telhado.

Carl colocou a mochila no chão e tirou o livro que trouxera para Effi. Em seguida, foi até a porta, decidido. Mas cada vez que erguia o dedo para tocar a campainha, escutava mais um grito, e então recuava. Eram sons agudos, estridentes, de dor. Gritos sem esperança de que aquela agonia pudesse ter fim.

Carl murchou de tristeza.

— Sabe, às vezes, um livro não é suficiente — disse para Schascha. — O papel não é capaz de curar todas as feridas. Precisamos ir até um telefone público.

— Não precisamos.

Schascha desbloqueou a tela do celular e entregou o aparelho para Carl, dizendo que apertasse o botão verde. Como ele não conseguiu, ela mesma o fez.

Quando a polícia atendeu, Schascha passou o celular para Carl, que explicou a situação de emergência, deu o endereço e, depois de hesitar um instante, disse seu nome. Carl foi informado de que uma viatura estava a caminho, e devolveu o celular para Schascha.

— Não sei como desligar sem colocar no gancho.

— Gancho?

Balançando a cabeça, Schascha desligou.

Carl tentou avistar algum ponto de onde pudesse espreitar o interior da casa de Effi sem ser visto. Avistou uma grande caçamba de entulho diante de um salão de manicure que estava em obras. Era o esconderijo ideal, embora Schascha tenha precisado ficar na ponta dos pés para conseguir enxergar.

Dez minutos depois, uma viatura parou diante da casa de Effi. Os dedos dos pés de Schascha ardiam e os das mãos estavam congelados. Dois policiais desceram e tocaram a campainha. Uma cortina se mexeu. Em seguida, se abriu a porta atrás da qual estavam Effi e o marido. Ele estava com as duas mãos nos ombros dela, perto do pescoço, pressionando levemente.

— Olá, senhor. Desculpe o incômodo, mas recebemos uma denúncia de gritos vindos da sua residência — disse um dos policiais, e olhou para Effi. — Gritos de mulher. A pessoa que denunciou supõe que a senhora poderia estar sofrendo algum tipo de violência. Ou há alguma outra mulher na casa?

— Decerto foi um mal-entendido — disse o marido de Effi, rindo. — O volume da nossa TV estava bem alto.

— É mesmo? — perguntou o policial a Effi.

— Aham — confirmou Effi, sorrindo.

— Eu jamais bateria em você, não é, amor? Diga isso aos policiais.

— Ele jamais faria uma coisa dessas — disse Effi, sorrindo.

O policial a encarava fixamente.

— A senhora gostaria de conversar a sós conosco por um momento?

— Não, ela não quer. Não temos segredos entre nós, como deve ser num bom casamento.

Matthias lhe deu um beijo na bochecha.

Effi estremeceu. Ele acabara de golpeá-la naquele lugar.

— O que houve com a sua bochecha? — perguntou o policial.

— Estou com um pouco de dor de dente — disse Effi, sorrindo.

O policial voltou a olhar bem dentro dos olhos dela.

— Nós realmente agradecemos — disse Matthias, cruzando os braços. — É bom saber que vocês levam a sério essas ligações, mas no nosso caso foi alarme falso. Já podem deixar registrado que aqui em casa assistimos à TV com o som bem alto, assim não perderão mais tempo.

Ele cutucou Effi.

— Não é, meu amor?

— Sim, sim. Certamente existem mulheres por aí precisando da ajuda de vocês — disse Effi, sorrindo.

— Estamos dispensados, então? — perguntou o marido. — Adoraríamos ver o final do filme. Claro que agora vou abaixar o volume da TV.

Mesmo que o corpo fosse contra — tanto que os batimentos cardíacos aceleraram e as pernas tremiam —, Carl saiu de trás da caçamba. A vontade de defender Effi, era mais forte do que a do próprio corpo.

— Os dois estão mentindo! Esse homem está agredindo ela. Eu escutei, não foi o som da televisão.

— Ah, se não é o livreiro — disse Matthias. — Eu devia ter imaginado. Bem, a partir de agora você não encomenda mais livros com esse maluco, amor. Senão realmente a minha mão de fato pode escorregar.

Matthias deu uma gargalhada. Effi também riu, o que fez seu corpo inteiro doer.

Os policiais não viram Carl como um senhor honesto e responsável, mas como um velho malvestido, com o olhar levemente confuso. E era verdade, porque Carl já não entendia mais o mundo.

— Por favor, da próxima vez certifique-se de não fazer a polícia perder tempo por causa do barulho da TV — disse um dos policiais para Carl. — É claro que atenderemos a todas as emergências necessárias, mas, em caso de violência doméstica, só podemos ajudar se a vítima admitir que precisa de ajuda.

Aquelas palavras não pareceram destinadas a Carl, mas a Effi. Matthias, porém, acabara de trancar a porta, e, uma por uma, foi fechando as venezianas das janelas.

Embora Schascha fizesse várias propostas para salvar Effi, que iam desde invadir a casa até a contratação de um detetive particular ou de um bando de meninas que aceitava missões de detetive, Carl percorreu todo o trajeto até o convento em silêncio.

Quando irmã Amarílis os recebeu, perguntou se algo acontecera com Carl, que estava de ombros caídos e parecendo muito abatido. Nesse momento, ele desabou. A sólida carcaça que aprisionava suas emoções se rompeu e o livreiro desatou a falar. Sobre o drama de Effi, sobre seus medos, seu fracasso. Falou sem parar até a freira pousar-lhe a mão no braço.

— Vai ficar tudo bem, sr. Kollhoff.

— Não, não vai.

Irmã Amarílis arrumou o hábito.

— Eu vou até lá.

— Não faça isso. Se a senhora sair, corre o risco de não poder voltar ao convento.

— Deixe de besteira. Por acaso alguém está me observando? Acho que passei todo esse tempo me preocupando à toa.

— Mas...

— Não tem "mas". Que tipo de freira seria eu se me acovardasse atrás desses muros e negligenciasse uma pessoa que precisa de ajuda?

— O que pretende fazer? — perguntou Schascha. — A polícia não conseguiu fazer nada.

Sem responder, irmã Amarílis desapareceu nas profundezas do convento e voltou um pouco depois, segurando uma Bíblia.

— A Palavra de Deus é a mais poderosa das armas — explicou e, percebendo a dúvida nos olhos de Carl e Schascha, acrescentou: — E se colocar a Palavra no coração da pessoa não for o bastante... Ela sempre pode ser arremessada na cabeça da pessoa.

Ela deu uma piscadinha e saiu, fechando a porta atrás de si. Parou por um instante e alisou a alvenaria como se deixasse um bichinho de estimação para trás. Depois de um breve suspiro, olhou para Carl.

— Me leva até lá?

Mas Schascha já tomara a dianteira.

— Por aqui, irmã. Não fica longe!

Para Schascha, parecia óbvio que tudo ficaria bem. Amarílis era uma freira, quase uma santa, e, portanto, uma espécie de super-herói, como são Martinho ou são Nicolau. Schascha não sabia direito quais eram os poderes de uma freira. Decerto não lançaria raios *laser* pelos olhos, nem seria capaz de voar, mas uma freira era claramente diferente de uma pessoa comum. E como todas as pessoas comuns haviam fracassado, só mesmo uma pessoa incomum poderia ajudar Effi naquele momento.

Irmã Amarílis nem cogitou parar para respirar, e bateu na porta da casa que Schascha lhe indicara. Havia uma campainha, mas ela achou que batidas resolutas e determinadas teriam um efeito melhor.

— Quem é? — perguntou uma voz masculina pesada, do outro lado da porta.

— Meu nome é irmã Maria Hildegard. Sou do convento beneditino de Santo Albano.

— Mas esse convento nem existe mais...

— Eu existo; portanto, existe também o convento.

— Ah, a senhora deve ser a freira maluca — disse a voz, agora mais próxima. — Não queremos fazer doações.

— Não estou pedindo doações.

— Nem queremos comprar nada.

— Também não tenho nada para vender.

— Não precisamos de nada.

— Todos precisam de Deus.

— Vá embora.

— Não vou. Saiba que tenho todo o tempo do mundo. Logo seus vizinhos me verão diante de sua porta sem que me deixe entrar.

O homem soltou um berro.

Voltando para o interior da casa, falou com Effi, que andava atrás dele.

— Meu Deus, será que todo mundo ficou maluco hoje? Vá lá você falar com ela. Mas ande rápido. Ainda não resolvemos aquele outro assunto, e a história do livreiro ainda está atravessada na minha garganta.

Obediente, Effi ajeitou a roupa, o cabelo e o rosto para parecer composta. Calçou sapatos brancos de salto alto, sapatos caros. Parecia pronta para ir a um baile. Também colocou no rosto o sorriso charmoso que treinava todas as manhãs no espelho do banheiro até a bochecha doer.

Só então abriu a porta.

E o que viu ali não foi uma freira, mas uma mulher que passara muito tempo confinada. Uma pessoa que aprisionara a si própria, que vivia em uma prisão autoimposta.

E que acabara de deixar esse claustro.

Bastou um olhar para saberem tudo uma da outra.

— Venha — disse irmã Amarílis, estendendo-lhe a mão. — Agora. Está na hora.

Simplesmente assim, Effi aceitou a mão estendida e saiu.

Foi bom ir embora. Foi fácil. Quando não pensamos nas consequências, nas brigas que virão, nas feridas que carregaremos, ir embora é muito fácil. Basta dar um passo após outro para sair de uma casa, e também de um casamento.

Bastava seguir em frente.

Foi o que Effi fez.

Mas ajudou ter irmã Amarílis segurando-lhe a mão. Carl e Schascha se juntaram às duas, e logo Effi apressou o passo e começou a lançar olhares apreensivos para trás. A porta da casa permaneceu fechada. Quando finalmente dobraram a esquina, ela respirou fundo e notou que seu pulso estava muito acelerado. Ainda assim, estampou um sorriso genuíno, como quem descobre que se usam outros músculos para tal. Com toda a calma, irmã Amarílis disse que a levaria para o convento, onde ela estaria segura e teria tranquilidade. E que ela não precisava acreditar em Deus, porque bastava que Deus acreditasse nela.

Duas esquinas depois, chegaram ao convento e se depararam com uma faixa branca e vermelha que cercava o perímetro e uma placa que anunciava a reforma. Um funcionário colocava um cadeado novo no portão.

— Ah, aí está a senhora — disse ele, quando chegaram, fazendo um aceno com a cabeça para cumprimentar irmã Amarílis. — Eu peço desculpas, irmã, mas estou cumprindo ordens.

— Como descobriu que eu já não estava mais lá dentro?

O funcionário apontou para uma pequena câmera afixada no prédio em frente. Segundo informou, a arquidiocese lhe pagara um bom dinheiro para agir assim que a irmã deixasse o convento. À noite, o funcionário pagava a um estudante para fazer a supervisão, mas o garoto só olhava para a câmera na primeira e na última hora do turno, porque passava o resto do tempo dormindo.

— E as minhas coisas? — perguntou irmã Amarílis. — Minhas roupas? Minhas plantas? Precisam ser regadas para não morrer.

— A senhora vai ter de falar com a arquidiocese. Vou levar as novas chaves para lá. Pelo que sei, a reforma vai começar o mais rápido possível. Vão construir um condomínio de luxo. Eu sinto muito mesmo, mas não posso fazer nada.

— Pode, sim. O senhor pode me deixar entrar.

Ele balançou a cabeça.

— O risco de a senhora não sair é muito grande. Preciso ir. Boa noite!

Carl, Schascha, Effi e irmã Amarílis se entreolharam.

— Bem, sendo assim, vamos para um hotel — disse a freira, decidida. — Um convento não é um prédio, o convento são as pessoas. Seremos um convento no quarto vinte e sete ou em qualquer outro onde nos acomodarem.

Ela queria continuar em movimento. Ficar parada era como estar presa novamente. Effi sentia a mesma coisa.

— Talvez tenha sido melhor assim — disse irmã Amarílis. — Depois da minha visita, seu marido certamente imaginaria que você viria para cá. Não vai pensar que fomos para um hotel. Acabou sendo uma sorte não podermos entrar!

Se repetisse aquilo por vezes o bastante, talvez começasse a acreditar. Afinal, fora treinada para crer, o que não é tão simples quanto muitos pensam. A fé é um exercício que demanda muito esforço diário, posto que a vida real tende sempre a contradizê-la.

Effi e irmã Amarílis andavam lado a lado, as mãos dadas balançando como duas menininhas a caminho da escola. Effi saboreava aquela leveza, o oposto da vida que ela acabava de abandonar.

À esquerda, assomava a mansão de Mister Darcy. Apenas uma das muitas janelas estava iluminada, cercada de escuridão de todos os lados.

— Um momento — disse Carl. — Talvez tenhamos outra opção.

Ele olhou para Schascha, que ergueu o polegar.

Eram poucos passos até a entrada, mas Carl aproveitou o tempo para buscar as palavras que pudessem cativar Mister Darcy e que, a cada sílaba, o fizessem concordar em acolher aquelas duas mulheres. Era importante formular tudo da melhor forma possível. Mister Darcy não deixava de ser um esquisitão, e era provável que logo se sentisse sobrecarregado.

Quando ele abriu a porta, Carl tirou o chapéu em cumprimento, mas o couro cabeludo ficou irritado com a luz do sol e o ar fresco.

— Senhor Von Hohenesch — começou ele —, eu peço desculpas, mas...

— Está montado o seu clube do livro! — disse Schascha, interrompendo. — Só que elas vão precisar morar aqui, tudo bem? Porque não têm para onde ir. O bom é que o senhor tem quartos suficientes, e essas duas são muito legais.

Mister Darcy não hesitou nem por um segundo e abriu a porta, convidando todos a entrar.

O grupo ficou até tarde reunido na ampla sala. Mister Darcy chegou a tentar preparar alguma coisa para os convidados, mas aparentemente até ovo com batata frita pode dar errado. A tentativa ao menos servira para mostrar que os detectores de fumaça estavam funcionando perfeitamente.

Havia tantos quartos de visita na mansão que as recém-chegadas mal conseguiam decidir onde ficar. Acabaram escolhendo dois quartos contíguos com vista para o jardim, que, segundo irmã Amarílis, era ideal para plantar batatas e rabanetes.

Carl e Schascha se despediram na praça da Catedral com um longo abraço, ansiosos para o reencontro no dia seguinte.

Mas, na tarde do dia seguinte, Schascha não apareceu.

Carl a princípio não se preocupou, sabendo que as crianças são seres imprevisíveis por natureza. Era preciso aceitar sua natureza e tentar entendê-la. Mas, ainda assim, lamentou a ausência de sua companheira, porque tinha encontrado justamente o livro certo para seu amigo Simon. Poderiam fazer isso outro dia, decerto.

Excepcionalmente, a primeira visita da ronda não foi para Mister Darcy, que ficaria para depois, uma vez que seria o ponto alto do dia.

Quando estava diante da viela escura que serviria de atalho, Carl pensou em todas as coisas boas que haviam acontecido nos últimos dias, depois que ele se arriscara a tomar caminhos diferentes. Quem sabe estar diante daquele trecho tão temido fosse a vida lhe dizendo que deveria seguir assim?

Que tudo daria certo.

Carl respirou fundo.

Tudo em sua vida daria certo.

Mesmo que ele não soubesse como, pois tinha acabado de esvaziar sua última prateleira. Não restava um único exemplar em sua casa, mas fora com o coração leve que colocara os últimos na caixa com destino ao sebo. Certamente haveria alguma saída. Effi, irmã Amarílis, Hércules: nenhum deles acreditara que isso fosse possível, e acabaram descobrindo que, de uma hora para outra, tudo pode mudar para melhor. Era essa a última esperança de Carl.

A viela era escura e estreita. "Um antigo caminho para um homem antigo", pensou Carl, e sorriu. Havia uma luz no fim do túnel. Teria sido bom ter Canino a seu lado, mas pensou que ele devia estar sendo mimado por Doutor Fausto. O amigo intelectual mal desconfiava que havia acolhido em casa um daqueles animais de quatro patas que tanto temia.

Numa cidade que conhecemos como a palma da mão, é estranho entrar na única viela cujos paralelepípedos nunca pisamos antes. É como descobrir um quarto secreto em uma casa antiga.

Carl olhou em volta como se fosse um turista. Cada janela, cada calha o fascinava, e tudo lhe pareceu lindo, apesar da luz tênue. Naquele dia, presentearia a si mesmo com aquela viela escura.

Ouviu passos se aproximando por trás. Ao se virar, Carl avistou alguém saindo da sombra. O homem se aproximou rápido. Era alto, de ombros largos.

Carl já o tinha visto antes. Era o mesmo que discutira com Sabine na livraria, na mesma tarde em que Carl foi demitido.

O homem parou à frente dele e o empurrou.

— Deixe minha filha em paz, está ouvindo?

Carl não entendeu.

— De quem você está falando? De Effi?

— Não se faça de idiota. Você sabe muito bem de quem estou falando. Charlotte é minha filha, e não tem nada que passar o tempo dela com você!

O homem voltou a empurrá-lo. Carl tropeçou alguns passos para trás.

— Sua filha só me ajuda a entregar os livros.

— Mas não devia. Ela deveria estar em casa, estudando, em vez de perambular pela cidade ou ir a uma fábrica de charutos com um velho maltrapilho como você. Charlotte é só uma criança, pelo amor de Deus! Estou avisando pela última vez: deixe minha filha em paz. Entendido?

E voltou a empurrar Carl com mais força.

Claro que Carl conhecia violência. Observara Jack, o Estripador, durante seus atos sangrentos no bairro londrino do East End; sobrevoara os conflitos no Mekong a bordo de um helicóptero Bell UH-1 Iroquois; lutara no Abismo de Helm contra o exército Orc de Saruman; e na batalha da floresta de Teutoburgo ao lado de Armínio contra as tropas de Públio Quintílio Varo. Vira até mesmo a explosão da Fat Man em Nagasaki, e vivenciara como os trisolarianos venceram a frota espacial inteira da Terra com uma única sonda sem tripulante.

Para Carl, violência era algo a ser lido, nunca vivenciado. Não aprendera a reagir. Sua resposta para tudo eram livros.

— Tenho o livro certo para você. É maravilhoso!

Carl tirou a mochila das costas e enfiou a mão nela. Pretendia dar ao pai de Schascha o livro que pensara entregar a Simon. Contava a história de uma menina impressionantemente voluntariosa e aventureira. Assim, quem sabe ele pudesse entender quão maravilhosa era a filha, que não deveria mantê-la trancada em casa. O livro estava embrulhado em papel de presente decorado com dinossauros.

— Por que você espera minha filha na escola? Acha que eu não sei sobre isso?

Outro safanão, ainda mais forte, que quase desequilibrou o livreiro. Carl colocou o livro no bolso do sobretudo do homem.

— Por acaso você ousou colocar a mão em mim? Você OUSOU COLOCAR A MÃO EM MIM? Seu idiota! Não toque em mim!

Ele respirava pesado e os olhos estavam vermelhos. Carl achou ter visto uma lágrima, embora não fizesse ideia do porquê. Não compreendia que estava diante de um homem desesperado, morrendo de medo de perder — ou de já ter perdido — a filha. Que berrava não apenas com Carl, mas com todo o maldito mundo que permitira algo como isso acontecer. Fez Carl se lembrar do capitão Karl Moor, de Schiller, um homem honesto que acaba se tornando criminoso e comete atos terríveis.

Carl começou a ter medo.

— E se eu vir você mais uma vez com minha filha, eu te mato. Entendeu?

— Mas...

Carl queria contar todo o bem que Schascha fizera, que ela era mais inteligente do que um departamento inteiro de não ficção, que sabia desenhar ratinhos de biblioteca, encontrar lares para cachorros que eram gatos, fazer uma encenação em uma fábrica de tabaco e entrar correndo em mansões tão rápido que ninguém conseguia capturá-la.

Mas Carl não teve chance de falar.

O pai de Schascha o empurrou bem no meio do peito com as duas mãos.

O último golpe foi diferente. Colocou o mundo de ponta-cabeça. De repente, o céu não estava mais em cima. Carl sentiu os paralelepípedos se chocarem contra as suas costas como se fossem bolas de ferro. O derradeiro, em sua nuca, apagou o fio de luz da viela.

Capítulo 7

Viagem ao fim da noite

Durante algumas caminhadas, principalmente no verão, quando o calor cozinhava os paralelepípedos e o mero ato de respirar dava sede, Carl tinha o hábito de colocar pedrinhas na boca. Tinham de ser redondas para serem agradáveis à língua, e suficientemente grandes para não serem engolidas sem querer; portanto, do tamanho excelente para fazer quicar na superfície de um lago pelo menos umas oito vezes. Carl as pegava de jardins e, antes de colocá-las na boca, as lavava muito bem na fonte de água potável da cidade. Cada pedrinha o surpreendia com sabores diferentes. Tudo bem que eram todas pedras, mas por que não poderiam ter diferenças? Também existiam diversos tipos de água mineral, não é mesmo?

A que Carl trazia na boca era amarga. Ele a movimentou com a língua, mas de repente parou de senti-la. Será que a engolira? Talvez tivesse tropeçado e cuspido sem querer?

Só que ele não parecia estar andando.

Por que o caminhão estava emitindo aquele som? Era para ele sair do caminho?

Carl abriu os olhos. Duas paredes do quarto eram amarelo-claras; o restante era pintado de branco, com tinta lavável. Ao lado dele, um aparelho apitava com uma regularidade tranquilizadora. A outra cama do cômodo estava vazia, coberta por um filme plástico, como uma bandeja para colocar sanduíches em uma festa. No entanto, nada ali lembrava uma festa.

Quando tentou se apoiar, Carl notou o braço direito engessado, assim como a perna esquerda. A cabeça latejava como se estivesse se esforçando para processar tudo aquilo.

Uma porta parecia levar a um corredor e outra ao banheiro. Havia uma TV no canto, desligada. Ele observou tudo por um tempo; depois, tateou ao lado da cama e conseguiu abrir a gaveta, na qual encontrou o controle remoto e uma Bíblia com a tradução de Lutero.

Ele estava tentando entregar um livro a alguém...

As lembranças voltaram. O pai de Schascha logo apareceria para pedir desculpas. E Schascha lhe traria um livro que, com sorte, não seria uma tradução feita por Lutero.

A porta do corredor se abriu e uma enfermeira vestida de verde entrou no quarto. Sorriu ao ver que Carl estava de olhos abertos.

— Que bom que está acordado, sr. Kollhoff, sou a enfermeira Tânia.

— Como você sabe o meu nome?

— Está na sua identidade, que está na sua carteira.

Ela apontou para o paletó verde-oliva de Carl, que estava pendurado no cabide.

— Além disso, conheço o senhor lá da livraria. Foi o senhor quem fez eu me apaixonar por *Harry Potter*.

E por meio dessa paixão, Tânia conhecera o primeiro namorado, continuou ela. A diferença é que o tal namorado infelizmente revelara-se um idiota, enquanto Harry Potter permanecera para sempre ao lado dela.

— O que aconteceu comigo? — perguntou Carl.

— O senhor caiu de mau jeito, teve uma pequena fratura no braço e, infelizmente, uma mais complicada na perna. Além disso, teve uma concussão que o deixou inconsciente durante algumas horas. Mas não se sinta mal, na sua idade é muito comum tropeçar.

— Mas eu não...

Carl se interrompeu. Se contasse o que de fato havia acontecido, o pai de Schascha seria responsabilizado e poderia perder o emprego.

— Como eu vim parar aqui?

— É uma história um tanto estranha — disse Tânia, sorrindo. — E não me refiro ao fato de a ambulância tê-lo trazido aqui, mas sobre como o senhor foi encontrado.

— Como? Por quê?

— Levante um pouco a cabeça, sim? — pediu ela, ajeitando o travesseiro. — Pois bem, parece que uma moradora da travessa Guilherme Tell escutou um cachorro latindo muito, e, quando foi ver o que era, encontrou o senhor caído, mas não viu cachorro algum.

— Mas havia um gato — disse Carl, quase às lágrimas de novo.

Curioso. Quando a gente começa a chorar parece que não acaba mais.

— Como o senhor sabe?

— A história me fez lembrar de um bom amigo — respondeu ele. — Um que só gosta de mim por causa dos petiscos que eu dou.

A enfermeira balançou a cabeça e atribuiu aquela resposta sem pé nem cabeça à pancada que Carl levara na cabeça.

Silenciosamente, Carl agradeceu a Canino, cuja maravilhosa esquizofrenia provavelmente salvara sua vida.

Em seguida, sentiu as pálpebras pesadas e voltou a pegar no sono.

Quando despertou, o ambiente era o mesmo, mas a noite transformara-se em manhã. Carl percebeu que suas pernas estavam loucas para entrar em ação. Embora não fossem cavalos de corrida que saem voando de seus *boxes*, após tantos anos de rondas, seus membros inferiores precisavam do estímulo. Carl olhou em volta à procura de seus sapatos velhos e macios. Eram tão velhos e macios que Carl conseguia sentir toda e qualquer reentrância do pavimento. Por isso, mesmo de olhos fechados, ele sempre sabia onde estava.

Os sapatos estavam do outro lado do cômodo, em uma sacola plástica. Carl só precisaria de uma ajudinha para calçá-los, mas depois poderia muito bem caminhar sozinho.

Fez a ronda em sua imaginação. Todos lhe perguntavam onde tinha estado. E ele respondia que não se preocupassem, que apenas tinha sofrido um pequeno acidente. Carl foi trazido de volta à realidade com o susto do som da porta se abrindo. Outra enfermeira apareceu, também de verde.

— Olá, sr. Kollhoff, sou a enfermeira Ravenna.

Carl se endireitou na cama.

— Olá. A senhorita poderia me ajudar a calçar os sapatos? Depois disso, se verá livre de mim.

A enfermeira riu.

— Tânia já tinha me dito que o senhor é engraçado. O senhor ainda vai ter de ficar um pouco conosco aqui.

Quando tentou tirar a perna engessada da cama, Carl sentiu uma dor lancinante, como se tivesse levado um choque elétrico. Suspirou.

— Fique paradinho, sr. Kollhoff. Descanse para ficar bom logo. Agora vamos levantar um pouco essa cabeça.

Ela ajeitou o travesseiro.

— Bem, nesse caso eu preciso avisar Sabine, na livraria, para que ela possa informar a quem perguntar por mim.

— A enfermeira Tânia já fez isso ontem. Ela avisou que o senhor está internado e que não foi nada grave, para que ninguém se preocupe.

Certamente os clientes já teriam ficado sabendo e logo viriam visitá-lo.

— Existe algum livro aqui neste lugar?

Quando a enfermeira apontou para a gaveta e fez menção de dizer alguma coisa, Carl se antecipou.

— Algum que não seja muito pesado, porque eu preciso poder segurá-lo com a mão esquerda.

— Infelizmente não temos biblioteca para pacientes. Se quiser, posso ir buscar uma revista na nossa banca.

— Será que eles têm *A ilha do tesouro*, de Stevenson? Ou alguma coisa de Karl May?

O que era bom para Gustav também seria para ele.

— Acho que lá só tem *John Sinclair*, é o que o nosso chefe compra sempre. E também uns gibis para crianças.

— Ok, eu quero — disse Carl, mas logo se lembrou de que estava sem dinheiro.

— Não, melhor não.

Logo Schascha chegaria com um livro para ele, ou um calendário de cachorrinhos. E se ela trouxesse outro desenho com ratinhos, ele certamente poderia pendurá-lo na parede em frente à cama.

Mas nem Schascha nem ninguém apareceu. Nem naquele dia nem nos seguintes. Só enfermeiras, terapeutas, médicos. Era como se Carl estivesse em um teatro em que os mesmos papéis eram desempenhados por atores diferentes. As apresentações aconteciam sempre à mesma hora, só o texto mudava ligeiramente. As pessoas lhe davam de comer, ajudavam-no a trocar de roupa, a tomar banho, a fazer xixi. Eram rápidos, habituados à rotina e, às vezes, um pouco grosseiros. Não estavam ali de visita, estavam ali a trabalho.

Ninguém se lembrava dele.

No fim da tarde, Carl escutou uns latidos e imaginou que pudesse ser Canino sentindo sua falta.

Ninguém estava achando estranho o sumiço dele? Será que Carl era tão insignificante assim? Logo ele, a pessoa que, nos últimos anos, todos aqueles clientes solitários mais tinham visto?

Mas não. Nenhuma visita, até que chegou o dia da alta.

Carl imaginou que estariam todos no saguão à espera dele. Imaginou todos os detalhes, todos os sorrisos, com todas as cores, como um quadro pintado com os lápis de cor de Schascha. Mas no fundo sabia que não seria assim.

Quando se viu sozinho, de muletas, à porta do hospital, não reconheceu nada. Aquele não era mais o seu mundo.

Carl não tinha dinheiro para pegar um táxi, e era orgulhoso demais para pegar emprestado com alguém no hospital. Então, pediu informações a um pedestre sobre o caminho até a catedral e seguiu andando.

Percorreu mais de três quilômetros de muletas, fazendo muitas paradas, sentindo dores nas axilas, passando por três pequenas quedas e conseguindo ralar um joelho.

Quando finalmente fechou a porta do seu pequeno apartamento de cobertura, se deixou cair no chão e dormiu ali mesmo.

A corda do varal percorria as paredes do apartamento como o encordoamento de um alpinista. Carl a fizera passar por prateleiras e armários, amarrando-a nas janelas e na calefação.

Depois, decorou as prateleiras, pois não suportava mais vê-las vazias. Desenhou várias lombadas de livros, como se ainda estivessem ali. Sabia de cor onde costumavam ficar todos os seus queridos livros. Quando vez por outra se esqueceu de algum, escreveu o nome de alguma obra importante que já devia ter lido. Assim, fez surgir em seu quarto de dormir obras do Marquês de Sade e de Giacomo Casanova, mas só para confrontar aqueles magos da escrita erótica com a triste realidade de sua vida.

Os títulos de tantos livros maravilhosos lembravam a Carl ainda mais dolorosamente os tesouros que perdera.

Sem os livros, a acústica nos cômodos tornara-se estranha, a voz ressoava como em uma caverna, e, por isso, Carl parou de falar em voz alta. Não saía mais de casa. Na despensa, algumas latas de pepino em conserva, tangerinas, peras e chucrute. Carl não comia muito, porque já não sentia mais fome. Cada dia que passava, alimentava-se menos: estava decidido a acelerar o processo de seu desaparecimento, abreviar a chegada do dia em que seu corpo resolveria que não valia mais a pena acordar.

Carl não tinha medo da morte, nunca tivera. Nascido e criado em um vilarejo nos arredores da cidade conhecido pelas flores que fornecia aos cemitérios da região, a morte sempre estivera presente em sua vida, mesmo que em forma de flores coloridas.

No terceiro dia, Carl abaixou todas as venezianas, pois não suportava mais a vista da cidade que um dia fora a sua. Agora, lhe parecia estranha e cheia de perigos. Já não era mais a mesma que ele percorrera durante décadas, cujos paralelepípedos haviam sido polidos pelas solas de seus sapatos, cujos habitantes lhe tinham apreço. Era uma cidade em que as pessoas o jogavam no chão e se esqueciam dele.

Carl quase se alegrava quando as dores na cabeça, no braço e na perna retornavam, porque eram a única coisa que desviava sua atenção da tristeza.

Já não contava mais os dias, só apertava o cinto um pouco mais a cada dia, abrindo novos furos de tempos em tempos com a pontinha afiada do abridor de latas. Já não fazia mais distinção entre noite e dia. Ficava deitado, olhando para o teto, alternando entre a sonolência e a reflexão.

Sem livros e sem caminhadas, um Passeador de Livros não existe, pensava. Era de se esperar que ninguém mais se lembrasse dele. Carl havia deixado de existir.

E ele, que sempre sonhara em morrer tendo nas mãos um livro tão fascinante que nem perceberia a transição da vida para a morte, tinha ao lado apenas um velho catálogo telefônico. Que não vendera porque não tinha valor.

Mas, embora não fosse um material de leitura de verdade, ainda assim era reconfortante deixar correr as pontas dos dedos pelas páginas, virá-las silenciosamente.

Depois de agredir Carl, o pai de Schascha jogou todos os livros da filha de nove anos pela janela, no pátio interno do prédio. Schascha gritava e se agarrava às pernas dele para impedi-lo de se movimentar, mas um livro após outro voou pelos ares. Algumas páginas soltas flutuavam como pombas brancas planando antes de aterrissar. No chão, pareciam penas. Schascha, que chorava copiosamente, via o mundo todo embaçado, mas não parou de chorar nem quando o pai saiu do quarto aos berros. Só se acalmou depois que ele se acomodou na sala, onde ficou assistindo ao noticiário na TV.

Então, pé ante pé, Schascha saiu de casa, esgueirou-se pela escada, recolheu seus livros no pátio e tentou organizar as páginas soltas. De volta ao quarto, escondeu tudo em caixas embaixo da cama. Na frente, colocou os bichinhos de pelúcia que defenderiam seus tesouros.

A partir desse dia, Schascha ficou de castigo e passava as tardes diante da janela, observando a praça da Catedral para, quem sabe, ao menos acenar para Carl quando ele passasse. Mas Carl não passava mais.

O que era muito estranho.

Certa noite, Schascha teve um sonho estranho, um daqueles que seria melhor ter esquecido. Sentiu muito medo de que alguma coisa tivesse realmente acontecido ao seu amigo.

Quando telefonou para a livraria Ao Portão da Cidade, foi informada de que ele não trabalhava mais lá e de que estavam todos muito ocupados, que não podiam informar a respeito do endereço.

Schascha percebeu a irritação de Sabine, mas não sabia que o motivo era que inúmeras pessoas vinham telefonando para saber de Carl. Cada dia que passava esse número parecia aumentar, inclusive contando com pessoas que nunca haviam comprado um livro na vida, mas para quem o velhinho de chapéu que todos os dias caminhava pela praça era tão parte da cidade quanto a catedral.

Schascha decidiu que encontraria Carl — para isso, começou a estudar a literatura técnica específica, ou seja, romances policiais. Logo percebeu que oito especialistas — tanto *Os três investigadores* quanto *Os Cinco* — tinham a mesma opinião: era preciso ir até o local onde as coisas estranhas estavam acontecendo. A essa altura, Schascha já sabia que era quase sempre às portas dos fundos, onde a vigilância era menor. Ali, muitas vezes havia gente estranha fumando escondido do chefe. Schascha colocou na mochilinha a identidade de detetive, o relógio com compartimento secreto, o binóculo, a pistola automática de brinquedo e uma caneta com tinta invisível. Todos esses apetrechos tinham esperado um tempão por uma oportunidade de serem usados!

No dia seguinte, depois da aula, Schascha foi correndo até a livraria, que infelizmente não tinha porta dos fundos nem funcionários estranhos que fumassem ou passíveis de serem ameaçados com uma pistola. E o dinheiro que Schascha tinha também não era suficiente para subornar ninguém. Fora o bastante, no entanto, para um sorvete de duas bolas na sorveteria do Pino, o que não foi de todo mau.

Teve de entrar na livraria pela porta da frente. Então, para não ser reconhecida, puxou a boina de piloto até a testa e levantou a gola do casaco amarelo. Depois, foi até os fundos da livraria e fingiu que escolhia um livro, para não ser notada. Mal abriu um volume, surgiu uma pessoa ao lado dela.

— O que você está fazendo na seção de literatura erótica? — perguntou Leon.

— Eca!

Schascha deixou cair o livro *Paixão devastadora*, limpou involuntariamente as mãos no casaco e ficou a alguns passos de distância. Ver beijos na TV já era constrangedor, um livro, então...

— Está procurando alguma coisa específica? — perguntou Leon, mesmo que só soubesse vagamente a localização das seções e, portanto, não fizesse a menor ideia de onde poderia estar qualquer coisa específica.

— Você conhece Carl, o Passeador de Livros?

— Ele não trabalha mais aqui, a chefe demitiu ele.

— O quê? Mas por quê?

— Ah, um cara apareceu aqui outro dia e fez o maior escândalo, disse que Carl estava levando a filha dele para entregar livros, que nada daquilo tinha sido combinado com ele, que era o pai da garota, coisas assim. Embora eu não consiga imaginar ninguém melhor para tomar conta de uma criança do que Carl. Ele é muito gente boa.

Pffff... Criança, até parece, pensou Schascha.

— Bem, eu preciso entregar uma coisa que ele perdeu na rua, uma chave. Mas não sei onde ele mora.

— Bem, acho que posso conseguir o endereço nos registros. Vem comigo.

Leon a conduziu até o grande cômodo sem janelas nos fundos da livraria. Havia um papel no quadro de avisos com os nomes, endereços e telefones dos funcionários. Schascha anotou os dados de Carl no dorso da mão. Sua primeira missão de detetive tinha sido um sucesso total!

De repente, Sabine apareceu, sorrindo.

— Leon, o que você está fazendo com essa menina? Ela não é jovem demais para sair com você?

— Eu tenho nove anos — retrucou Schascha, irritada. — Quase dez. E meninas sempre são dois ou até três anos mais desenvolvidas do que os meninos.

Pelo tom da resposta, ficou bem claro que, no caso de Schascha, eram três. Leon respondeu com toda a serenidade, porque não estava a fim de perder o emprego que Sabine lhe oferecera depois do estágio.

— Nós nos conhecemos na escola. Ela está só de passagem.

— Mas o que vocês estão fazendo aqui atrás? Esta sala não é para clientes, você sabe disso. O que as pessoas vão pensar se virem esse caos?

— Ah, é que ela quer fazer estágio aqui — explicou Leon. — Estou fazendo um *tour* com ela, explicando tudo. Ela nem achou a bagunça tão ruim assim.

— Nem um pouco. O meu quarto é pior. De vez em quando. Raramente, mas acontece.

— O que não é uma informação que me tranquilize em se tratando de uma futura estagiária. Agora, fora daqui vocês dois, já.

Sabine se virou para Schascha.

— Ah, em todo caso, você é nova demais para ser estagiária. Você gosta de ler?

— Não.

Schascha não queria conversar com aquela mulher sobre leituras e livros. São assuntos que só devemos conversar com pessoas bacanas, e Sabine havia demitido Carl.

— Bem, então infelizmente não precisamos de você aqui — disse Sabine, e de repente parou. — O que é isso escrito na sua mão? Kollhoff? Me deixe ver.

Droga. Por que não usara a tinta invisível? A resposta era: ela só se tornava visível com calor e Schascha ficara com receio de ter que queimar a pele para conseguir ler.

Sabine tentou agarrá-la pela mão, mas Schascha desviou e saiu correndo. Para quem era craque na amarelinha e vivia saltitando atrás de Carl, desviar de mesas e estantes foi moleza.

Para Sabine, nem tanto.

Uma vez fora da livraria, Schascha continuou correndo. Olhava volta e meia para trás, mas ninguém veio atrás dela. Chegando ao endereço, não perdeu tempo e apertou o botão do apartamento de Carl. Quer dizer, ao menos ela achava ser do apartamento de Carl, pois a inscrição dizia E. T. A. Kollhoff. Ninguém atendeu ao interfone. Schascha apertou todas as outras campainhas, e sempre que alguém perguntava quem era, ela respondia: "Entrega dos correios." No prédio em que ela morava era assim também.

Em uma das tentativas, alguém abriu o portão, e Schascha conseguiu entrar no prédio. Ela subiu correndo as escadas, olhando para cada nome em cada porta em busca de Carl. Ao encontrá-lo, apertou a campainha três vezes seguidas.

Mas não houve resposta.

Ele não estava esperando nenhuma carta. O que costumava chegar eram contas e propagandas mesmo...

Quando Schascha começou a bater na porta, Carl se trancou no banheiro e ligou o rádio. Por isso, nem escutou quando ela chamou seu nome. Nem quando ela começou a chorar bem alto.

De volta em casa, Schascha avistou o casaco do pai no gancho perto da entrada, o que não era normal para aquele horário. Ouviu o som da TV ligada na sala.

— Pai?

Schascha não esperou ouvir resposta. Prendeu a respiração para não deixar de ouvir nada e contou, quietinha, até sete. Nada. Ele não havia chegado, então...

— Oi, filhota, vem aqui, por favor.

Schascha deu um pisão no chão, de raiva, e entrou na sala, nervosa.

Todos os seus livros estavam espalhados em cima da mesa. O pai os encontrara embaixo da cama e os levara para a sala. Os bichinhos de pelúcia não haviam resistido ao ataque.

— Sente-se, Charlotte. Precisamos conversar.

— Eu não fiz nada de errado, pai. Precisei juntar os livros para evitar reclamação dos vizinhos, principalmente da sra. Kaczynski, do segundo andar. Eu não fui me encontrar com o Passeador de Livros! Palavra de honra.

— Sente-se, por favor.

— Caramba! Estou falando a verdade, pai!

Schascha sentou-se no sofá e segurou os joelhos flexionados junto ao corpo, para se proteger.

— Só me diz logo qual é o castigo.

O pai franziu a testa.

— Castigo? Não pensei nisso. Mas você bem que merecia um.

— Então fala logo, pai. Não tem necessidade nenhuma de criar esse suspense.

— Eu faço isso? — perguntou ele, mas não falava com o mesmo vigor de sempre. — Digo, fazer você esperar?

— Sei lá. Sim, de vez em quando. Você é adulto, adultos são assim. Só me diz logo qual é o castigo.

O pai dela empilhou os livros.

— Não sei se é um castigo de verdade.

— Ué, mas tem como não saber? Castigos são sempre chatos, é fácil de identificar.

O pai empurrou a pilha de livros na direção de Schascha. Antes de falar, olhou para ela demoradamente.

— O castigo é que preciso deixar você ser do jeito que você é, Charlotte. Livre e selvagem.

Schascha endireitou a postura e inclinou a cabeça. O que seu pai estava querendo dizer?

— Pai, do que você está falando?

— E eu preciso passar mais tempo com você. Porque não conheço minha filha tão bem quanto aquele velho livreiro — disse ele, sentando-se ao lado dela. — Sabe, eu... Eu estava furioso com ele, mas, no fundo, eu estava furioso comigo mesmo. Você ainda é muito nova para entender, mas um dia explicarei, quando você crescer.

    Schascha entendeu muito bem, mas estava acostumada com adultos que pensavam que ela não entendia certas coisas.

— Eu fui atrás dele, do Carl. Fui falar com ele e... Bem, na verdade eu mais o acusei do que falei.

Ele baixou a cabeça.

— Para ser sincero, eu gritei e o empurrei com tanta força que ele tropeçou e caiu.

Schascha ficou de pé no sofá.

— Você ajudou ele a se levantar?

— Não, deixei ele lá no chão.

— Meu Deus, pai! Você é um homem cruel! Não quero mais que você seja meu pai!

Ela correu para o quarto e se trancou.

O pai não obrigou Schascha a abrir a porta. Sentou-se no chão, do lado de fora, e falou. Até preferiu assim, para não ter de ver o ar de desprezo no rosto da filha. Schascha era a única coisa que ele tinha, seu tesouro mais precioso, e todos os dias ele sentia que não estava fazendo o bastante por ela, que não estava sendo amoroso, atencioso, sábio. E a pior sensação era a de não ter tempo para dedicar a ela. A cada dia, sentia que se afastava mais um passinho e a via cada vez mais longe, a ponto de não conseguir mais distingui-la em detalhes. Talvez isso fosse normal. Mas ele queria voltar a sintonizar o próprio coração com o da filha.

— Você me disse muitas vezes que eu deveria ler, que seria bom para mim. O problema é que sempre chego muito cansado e livros exigem tempo; então, eu nem começava. Mas naquele dia Carl me deu um livro. Disse que era maravilhoso e também o livro certo para mim. Estava embrulhado com... papel de presente de criança, com dinossauros de todos os tipos. Eu fiquei me perguntando o que poderia ter de interessante para mim naquelas páginas. Só não joguei fora na hora porque queria ir embora logo, para ninguém achar que eu havia empurrado o velho.

— Mas foi exatamente isso o que você fez! — gritou Schascha de dentro do quarto.

— Eu sei, eu sei, mas eu não queria que os outros soubessem. Aí, chegando em casa, eu desembrulhei o livro e o coloquei em uma gaveta, só para tirar aquilo da minha frente, para não ter de ficar olhando.

— E por que não leu? Carl tem razão: ler ajuda.

— Era um livro infantil. Nem quando era criança eu lia livros infantis.

Ele colocou a mão na porta.

— Mas então eu vi você juntando os livros que joguei pela janela. Algo que eu tinha todo o direito de fazer, porque você mentiu para mim durante semanas. Disse que estava fazendo lição de casa quando, na verdade, estava por aí com o livreiro, mesmo depois que eu proibi. Mas não é sobre isso que eu quero falar. Eu vi como os livros são importantes para você e me senti mal com a minha atitude.

— E era mesmo para você se sentir mal.

Ele sorriu.

— Então, pensando em me reaproximar de você, eu li o livro que Carl me deu. Primeiro só algumas páginas, porque depois de finalmente conseguir fazer você escovar os dentes e se deitar, eu já estava exausto. Mas de repente o livro me cativou. Chama--se *Rônia, a filha do bandoleiro*, de uma autora chamada Astrid Lindgren, e, de algum modo, fala sobre você. E também sobre um pai burro, ou seja, nada a ver comigo.

— Tudo a ver!

O pai de Schascha lera a história daquela menina que queria trilhar o próprio caminho, mas que, mesmo assim, precisava do pai, o chefe de um bando de ladrões. No livro, havia também um menino chamado Birk, que era apaixonado pela menina. Simon teria entendido o recado. O pai de Rônia, Mattis, não lhe interessaria nem um pouco.

— Se quiser, pode voltar a passear com o livreiro — disse o pai de Schascha —, mas só se fizermos algo juntos também, você e eu. Pode ser o que você quiser. Só não vale ler, porque aí já seria pedir demais. O que você me diz?

Schascha não disse nada. Seria aquele o momento certo para contar ao pai a verdade sobre o que fizera mais cedo naquele dia? Bem, a porta estava fechada, e ele não conseguiria entrar. Ela poderia usar a oportunidade para conseguir um aumento de mesada.

Mas Carl era muito, muito mais importante.

— Você acabou de me contar uma coisa errada que fez, e eu fui legal e compreensiva, nem um pouco ressentida. Concorda?

— Por que está dizendo isso?

— Concorda ou não?

— Concordo, mas...

— Ok, anote o que vou dizer.

Atrás da porta, Schascha se levantou e ficou na ponta dos pés.

— Já faz dias que não vejo Carl passando pela praça da Catedral. E na noite passada sonhei algo muito estranho e fiquei com muito medo. Sonhei que Carl estava lendo um livro, e todas as palavras que ele lia desapareciam. As páginas iam ficando vazias e brancas. Havia um em especial que ele não queria ler, porque se fizesse isso ele desapareceria para sempre. Mas alguém o obrigava a fazer isso. Não me lembro mais quem, ontem eu ainda me lembrava, e... Enfim, seja como for, as palavras continuavam desaparecendo e, em um determinado momento, Carl também desapareceu. O livro, afinal, falava sobre ele. Então, precisei ir atrás dele, pai.

— Foi por isso que você chegou tão tarde da escola hoje?

— Carl não trabalha mais na livraria, e a culpa é sua. A dona o demitiu depois que você foi lá.

Uma longa pausa.

— Eu... eu... sinto muito, de verdade.

E ele sentia mesmo, embora fosse exatamente o que ele desejara. Às vezes é uma praga quando os desejos se realizam.

— Você precisa consertar isso. Imediatamente.

— E você acha que a dona da livraria vai empregá-lo novamente se eu explicar tudo?

— Estou muito preocupada com ele, pai. Eu consegui o endereço dele na livraria. Mas ele não abriu a porta.

— Quem sabe não estava em casa? Talvez estivesse no supermercado, ou coisa assim.

Ela balançou a cabeça.

— Acho que não. Algo me diz que alguma coisa está muito errada, pai. Estou muito, muito preocupada. Você me ajuda?

— Ajudo, mas com uma condição.

— Qual? Por favor, não me venha com nenhuma besteira.

— A condição é que você saia imediatamente do seu quarto. Porque vamos agorinha mesmo.

Nem no banheiro Carl podia deixar de escutar os punhos do pai de Schascha martelando contra a porta. Os vizinhos já estavam com a cabeça para fora da porta de casa, como cucos saindo da casinha, e reclamavam em alto e bom som daquela barulheira. Carl escutou tudo aquilo também. Sentia-se mais fraco a cada berro irritado. Tudo o que queria era seu silêncio de volta. No fim das contas, não via saída a não ser abrir e receber a entrega do correio.

— Já vou — gritou, desejando que as batidas cessassem. — Só um minutinho.

Carl se vestiu e penteou os cabelos. Não deu tempo de fazer a barba, mas já não estava maltrapilho. Como teria de receber as contas a pagar, que ao menos estivesse trajado com decência. Estampou até um sorriso falso no rosto. O antigo sorriso de Effi, que já não precisava mais dele.

Enquanto se segurava na corda do varal para se sustentar, abriu a porta com a outra mão.

— Que cara é essa?! — perguntou Schascha imediatamente, preocupada, e fez um carinho na bochecha dele. — Você está doente?

Carl viu o pai dela e recuou.

— Me deixem em paz.

— O que você tem na perna? E por que seu braço está assim, duro?

Ela tentou tocar no braço dele, mas Carl o puxou, mostrando que já não conseguia esticá-lo.

— Vão embora! Não quero ver ninguém.

O pai de Schascha umedeceu os lábios. Não era bom em pedir desculpas. Sempre lhe disseram que fazer isso era sinal de fraqueza.

— Sr. Kollhoff, me desculpe por tê-lo empurrado. Vim pedir desculpas oficialmente. É por minha culpa que o senhor agor...?

Carl bateu a porta.

Ele já não existia mais. E quem não existe não pode mais conversar. Durante dias e dias Carl havia esperado que uma alma se interessasse por seu paradeiro, que o considerasse um ser humano. Mas era tarde demais. Carl Kollhoff já não se interessava pelos outros seres humanos.

Naquela noite, Schascha não dormiu, passou-a em claro bolando um plano. Tirou todos os apetrechos de detetive da mochila, porque o caso agora era sério! Depois que Carl batera a porta na cara dela e do pai, tinham ido até a casa de todos os clientes, conversar com eles. O Passeador de Livros precisava voltar a seu ofício, era preciso mobilizar a cidade inteira para que isso acontecesse.

Schascha anotou todo o roteiro do plano, como se fosse uma história. Encheu todas as páginas livres do diário, rabiscando aqui, corrigindo li, marcando trechos importantes com estrelinhas. Passou horas fazendo isso. Tudo começava assim: "Carl abriu a porta."

* * *

Carl abriu a porta. Pelo interfone, as vozes pareciam ser emitidas do meio de uma nevasca polar.

— Entrega para o sr. Kollhoff — dissera Schascha em voz grave, tossindo um pouco —, da livraria Ao Portão da Cidade.

A garganta dela ainda coçava quando chegaram diante da porta do apartamento de Carl. Ela se preparou para o caso de ele só abrir uma fresta e ela ter de entrar correndo.

Schascha riu de alegria quando viu que seu plano havia funcionado. Fazia muito tempo que Carl não escutava mais uma risada, muito menos uma tão gostosa quanto aquela.

— Olá, senhor rato de biblioteca — disse ela, olhando curiosa para a sala do apartamento. — Mas como pode? Você não tem nenhum livro!

Schascha foi correndo até o próximo cômodo, no qual tampouco havia livros, só uma cama com estrado, sem colchão.

— Onde estão todos os seus livros?

Carl se aproximou dela, sempre se guiando pela corda, e apontou para o próprio coração e para a cabeça.

— Estão aqui e aqui.

— Você entendeu o que eu quis dizer.

— Vendi tudo. Não quero falar sobre isso.

Naquele momento, Schascha viu nitidamente que Carl mudara. O rosto estava muito magro, a postura, encurvada, os olhos, sem vida. Lembrava uma das flores do relógio de Mister Darcy, que se fechava e abaixava antes que os raios de sol pudessem recair sobre ela.

Ela havia entendido sua missão. Naquele dia, Schascha seria o sol de Carl.

— Pronto? — perguntou ela.

— Pronto para o quê?

— Para o trabalho, é claro.

— Ah, Schascha, você sabe muito bem que esse tempo acabou. Você poderia ter poupado o esforço de vir até aqui.

— Não foi esforço algum. E agora vamos descer a escada. Pode se apoiar em mim. Eu cresci mais um pouco na semana passada.

— Isso não faz o menor sentido. Me deixe aqui, quieto.

— Você me deve um favor, e vim cobrá-lo — sorriu Schascha. — Agora. Imediatamente.

Carl olhou para ela por um tempo.

— Você tem tudo milimetricamente planejado, não é?

— Com certeza. Você não tem a menor chance de escapar.

Quando chegaram à rua, Carl precisou se recuperar um momento antes de sair.

— Parte dois — cochichou Schascha, tão baixinho que ele mal conseguiu escutar.

O pai dela estava ao lado de uma espécie de andador com um cesto feito para transportar livros. Era um andador com pneus e molas, o que facilitava a locomoção pelos pavimentos antigos da cidade.

— Eu que escolhi a cor — disse Schascha —, para que todos vejam você!

Era um amarelo berrante que provavelmente brilhava até no escuro.

— Experimente — disse o pai. — Posso fazer adaptações, se for preciso.

Depois de alguns ajustes, Carl empurrou o equipamento.

— Bem, pode até ser prático, mas eu fui mandado embora da livraria, e...

— Já sabemos disso — disse Schascha. — Atenção, todos. Parte três. Agora!

Ela mal podia esperar. Ainda bem que Carl estava bem rápido para uma primeira vez com o bibliomóvel! Antes da praça da Catedral, dobraram a Frauenstrasse e pararam em frente ao Sebo Moisés, onde Doutor Fausto os esperava.

— Olá, sr. Kollhoff, é extremamente edificante revê-lo!

— Olá. O senhor poderia me explicar o que está acontecendo? Eles não querem me contar nada.

Doutor Fausto olhou para Schascha, que fez que sim com a cabeça.

— Bem, os meus esforços iniciais não foram tão bem-sucedidos quanto a sua jovem acompanhante imaginou que seriam. Embora eu tenha usado argumentos altamente eloquentes, a sra. Gruber se recusou a recontratá-lo. Disse que era difícil lidar com "gente velha". E esse modo de dizer, "gente velha", me levou a outra ideia. Antes de conhecer o senhor e as suas entregas, de vez em quando eu comprava alguns livros no sebo, mas tudo o que me recomendavam comprar era sempre extremamente medíocre. Em outras palavras: imaginei que poderiam muito bem usar seus serviços por lá. Agora, o restante o próprio dono do sebo poderá lhe contar.

A porta do sebo não tinha sininho, ela rangia.

Hans Witton estava em pé em uma escada, tirando a poeira de um velho rádio de válvulas que estava na estante de livros.

Desde o dia em que ele colocara o próprio rádio como objeto de decoração, os clientes foram lhe dando outros de presente, e ele nunca conseguira dizer não.

— Olá, Carl, como vai? Que loucura tudo isso, não?

Hans desceu e estendeu as duas mãos ao livreiro.

— Eu sempre quis conversar com você, mas você nunca vinha, sempre mandava aquele rapaz trazer seus livros. Mas, em todo caso, que bom que você está aqui agora, não é? O professor me explicou a situação, além de gentilmente me apontar algumas obras de história bastante imprecisas aqui em nosso catálogo.

Carl puxou o freio do andador.

— Hans, honestamente, não estou entendendo o que devo fazer aqui.

— Trabalhar, Carl, o que mais? Sabe tão bem quanto eu que preciso de alguém como você desde que minha esposa morreu. Você conhece todos os livros, pode ajudar as pessoas. Eu sou bom para separá-los e tirar a poeira, e consigo me virar com a contabilidade. Mas, desde que Maria morreu, tenho cada vez menos clientes.

— É muito gentil da sua parte, mas então eu não seria mais o Passeador de Livros.

— Você pode fazer suas rondas no fim do dia.

— Mas quem é que encomendaria livros em um sebo? A graça do sebo é justamente vir aqui, procurá-los.

Nesse momento, ouviu-se um espirro, e Mister Darcy surgiu de um corredor.

— Pólen — disse ele, à guisa de desculpa. — Há uma concentração altíssima no ar. Mas confesso que não sei como ele encontra o meu nariz no meio de tantos livros. E olhem que até tomei o remédio que Effi me recomendou, mas parece que o pólen não tem medo de nada.

Ele se dirigiu até Schascha, que estava junto de Doutor Fausto e do pai.

— Nossa jovem aqui teve uma ótima ideia. E me parece que essa foi apenas uma de muitas. Vou patrociná-lo, Carl.

— Patrocinar? Como assim?

Carl olhou em volta, buscando apoio.

A hora é essa, pensou Schascha. Seu plano só funcionaria se Carl concordasse logo.

— A partir de agora, você vai dar livros para pessoas que não têm dinheiro para comprar — explicou ela às pressas. — Essas pessoas poderão se cadastrar aqui no sebo, e aí Mister... *ele* paga — disse, apontando para Von Hohenesch, para quem ainda não contara qual era o apelido que Carl lhe dera.

— Nossa querida irmã está redigindo um comunicado de imprensa para divulgar essa novidade. Diz ela que sabe fazer isso porque teve muito contato com jornais nos últimos anos. E a sra. Meialonga prometeu corrigir o texto. Está tudo organizadinho. Você só precisa concordar. Simples assim.

Carl se sentiu velho e fraco. E sentiu isso mais ainda porque todos os olhos estavam postos nele, esperando que ele se sentisse forte o bastante para uma nova empreitada.

— Sei que vocês todos se esforçaram muito, principalmente você, Schascha. Mas...

— Esses são os livros que precisam ser entregues hoje mesmo — disse Hans Witton, apontando para uma pequena pilha.

— São para clientes preferenciais muito importantes, pessoas que gostam de ler, mas não têm dinheiro para comprar livros.

— O sr. Witton não tem como entregá-los — disse Schascha, determinada. — Não tem tempo para isso.

Ela olhou para os outros, porque tinha distribuído papeizinhos com bons argumentos para convencer Carl.

— Além disso, o sr. Witton sabe tão pouco sobre a geografia da cidade quanto sabe sobre livros — complementou Doutor Fausto.

— E o bibliomóvel não é adequado para ele. A altura não é regulável — disse o pai de Schascha.

Doutor Fausto leu outro argumento.

— Além disso, o sr. Witton não gosta de ficar perambulando no escuro pelo Centro da cidade.

— Acho que basta de argumentos, não? — decretou Mister Darcy. — E agora, sr. Kollhoff, que tal levar os livros logo, senão... podem murchar.

Ele sorriu.

Carl olhou para todas aquelas expressões ansiosas. Se de fato a vida não era outra coisa senão uma peça de teatro, como certa vez dissera Shakespeare, o público agora queria um bis. E como ele era um idoso bem-educado, não poderia recusar.

Como ainda não estava muito acostumado com ele, Carl empurrou o bibliomóvel lentamente até a pilha. Em seguida, pediu que lhe entregassem papel, tesoura e fita durex para embrulhar os livros. Depois de receber os endereços do sr. Witton, saiu com suas rodinhas, acompanhado por todos. No caminho, Effi, Hércules, O Leitor e a sra. Meialonga se juntaram ao grupo.

Até Canino apareceu correndo, "latindo" como um cão pastor acompanhando o dono. Havia encontrado sua missão de vida.

— Ele está mesmo morando na sua casa? — perguntou Carl a Doutor Fausto, que caminhava a seu lado.

— Bem, ele nunca passa mais do que alguns dias, mas sempre volta. Provavelmente só por causa dos petiscos.

— Não — disse Carl. — Ele só finge que o motivo é esse, porque é questão de honra para um gato de rua. O que diriam os outros gatos se soubessem?

Era bom caminhar novamente. Sentir a cidade sob as solas dos pés, escutá-la, cheirá-la. Carl sentiu falta do peso dos livros nos ombros, mas era uma alegria vê-los no cestinho que ele forrara com um pano para protegê-los das arestas.

Durante um bom tempo, Carl seguiu em silêncio. Depois, inclinou-se para Schascha.

— Você organizou tudo direitinho... Estou vendo que se sai muito bem quando o assunto não é limonada.

— Seu bobo! — disse ela, rindo. — Você deu *Rônia, a filha do bandoleiro* para o meu pai. Foi bem inteligente da sua parte.

— Bem, na verdade o livro era para o seu Simon. Acho que devemos levar um exemplar para ele também.

— Ele não é o *meu* Simon!

Ela fez uma careta.

— Mas ontem, quando estava chorando por causa de uma nota ruim em Educação Física, ele me empurrou de um jeito diferente.

— Viu só?

— Você que vai levar o livro para ele. Eu não vou.

— Está bem, eu vou sozinho e você vai sozinha a meu lado.

Carl aprendera a não contradizer a menina. Quando uma garotinha como Schascha quer alguma coisa, quer com toda a força do mundo, e ele era velho demais para brigar.

— Andei pensando sobre a questão do seu apelido — disse Carl.

— Nossa, até que enfim!

— Bem, é que não foi fácil.

— É claro que não. Afinal, é um apelido para mim, e eu sou tão estranha quanto você. E olha que só tenho nove anos, hein? Com certeza, vou ficar ainda mais estranha do que você quando crescer!

Carl adoraria ter feito um carinho na cabeça dela, mas ele teria se desequilibrado.

— Primeiro, achei que você se parecia com Bastian Balthasar Bux, de *A história sem fim*.

— Mas eu sou menina! — protestou Schascha.

— Bastian tem força e imaginação tremendas, só que ele não sabe disso, portanto, o nome não combina com você. Você sabe muito bem quanta força tem.

— Muita — concordou Schascha, mostrando o bíceps flexionado.

— Depois, achei que a própria Rônia serviria, mas ela é filha da floresta e você é da cidade. Você precisa dos seus sorvetes e de muita gente em volta. Então, concluí que não existe nenhum livro com um personagem que se pareça com você.

— Mas você não disse que encontrou?

— Não. Eu disse que andei pensando sobre o assunto.

Schascha chutou uma pedra.

— Mas acabei de inventar uma solução.

— E você só me diz isso agora? — perguntou ela.

— Estava tentando criar um suspense.

— Você é um velho bobo, hein? — sorriu ela. — Vai me dizer agora ou devo começar a chorar?

— Nada de choro. Bem... Assim como O Leitor, pretendo escrever um livro. E vou colocar nele uma personagem que é uma menina como você, e vou chamá-la de Schascha. O nome da personagem será o seu nome verdadeiro.

— O livro será sobre nós?

— Bem, todo bom livro é sobre pessoas reais.

— Mister Darcy e Effi e os outros também vão aparecer? — perguntou Schascha, e então hesitou um pouco. — E o meu pai? O pai legal, não aquele outro. Aquele sumiu.

Carl assentiu.

— Vou escrever não como se fosse uma história real, mas inventada. Para que Mister Darcy, Effi e os demais se tornem aquilo que, para mim, já têm sido durante todos esses anos: personagens de um livro. Mesmo se você fechar o livro, eles continuam vivendo ali. Inclusive Schascha.

— Eu acho isso muito bonito.

— Eu também. Muito.

Carl desacelerou o passo ao se aproximarem da travessa Guilherme Tell, que parecia ainda mais sombria do que antes. De repente, sentiu a mão de alguém no ombro. Estava trêmula. Quando se virou para ver a quem pertencia, viu que era do pai de Schascha.

E todos os outros foram colocando as mãos nos ombros uns dos outros, em uma grande corrente.

Carl respirou fundo.

— A partir de hoje, vocês me acompanham todas as tardes, certo?

Todos riram, mas de nervoso. Era parte do plano de Schascha que, daquele dia em diante, um adulto sempre acompanhasse Carl ao entardecer.

E então, juntos, todos os passeadores de livros da cidade entraram na viela escura.

Pois os livros sempre precisariam de alguém que lhes apontasse o caminho.

Agradecimentos

Agradeço a todos que, alguma vez, me presentearam com um livro. Quando presenteamos alguém com um livro que amamos muito, esse amor contagia a pessoa presenteada. Um pequeno truque de mágica com um efeito poderosíssimo.

Agradeço a Vanessa, a quem considero um truque de mágica da vida, sempre a meu lado até quando estou escrevendo. Todos os parceiros de escritores ou escritoras sabem muito bem o que quero dizer...

Agradeço a meus queridos filhos, Frederick e Charlotte (que se autoapelidou Schascha e é uma espécie de super-heroína para mim).

Agradecimentos também a Harry, Sally e Julchen pela companhia enquanto eu escrevia este romance, dando a entender, com um ronronar, que eu poderia continuar a tarefa, mas sem parar de fazer carinho neles.

Agradeço aos meus primeiros leitores, Ralf Kramp, Dennis Witton e Gerd Henn, bem como a Kerstin Wolff pela centelha inicial que fez surgir esta história. Como sempre, agradeço ao meu agente, Lars Schultze-Kossack, e, pela primeira vez, a Bruce Cockburn, cujos álbuns de guitarra acústica *Speechless* e *Crowing Ignites* foram a trilha perfeita para criar esse enredo. Agradeço também à preparadora dra. Clarissa Czöppan; à diretora de programa, dra. Andrea Müller; à minha editora, Felicitas von Lovenberg; bem como a toda a equipe da Piper.

Obrigado por me ajudarem a dar vida a este romance, que é a realização de um grande sonho.